Vera Kattler & Danilo Pockrandt

Lebte die Seife?

edition unbewohnt

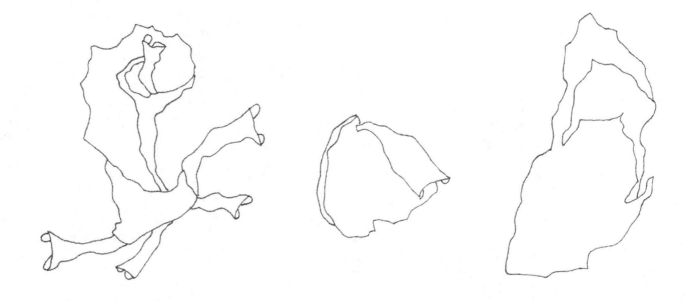

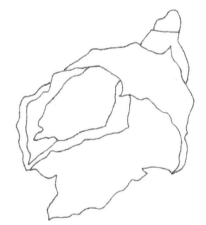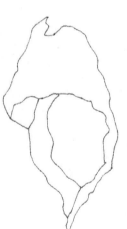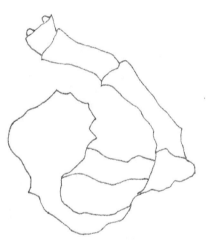

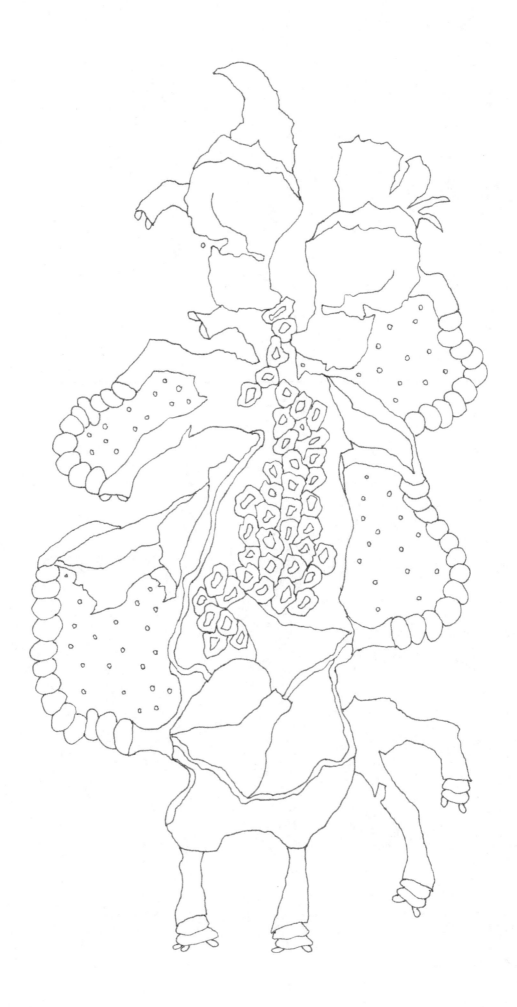

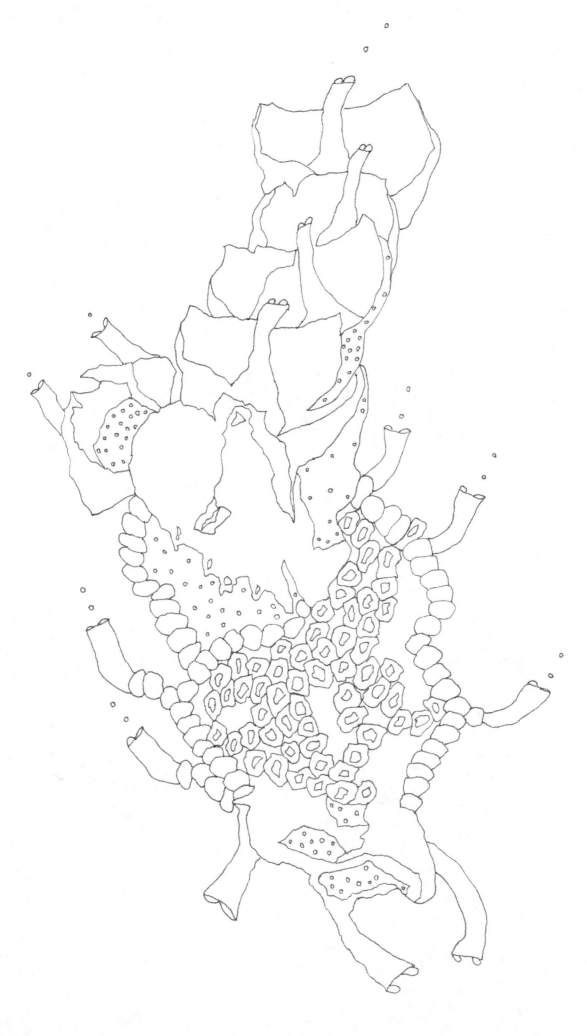

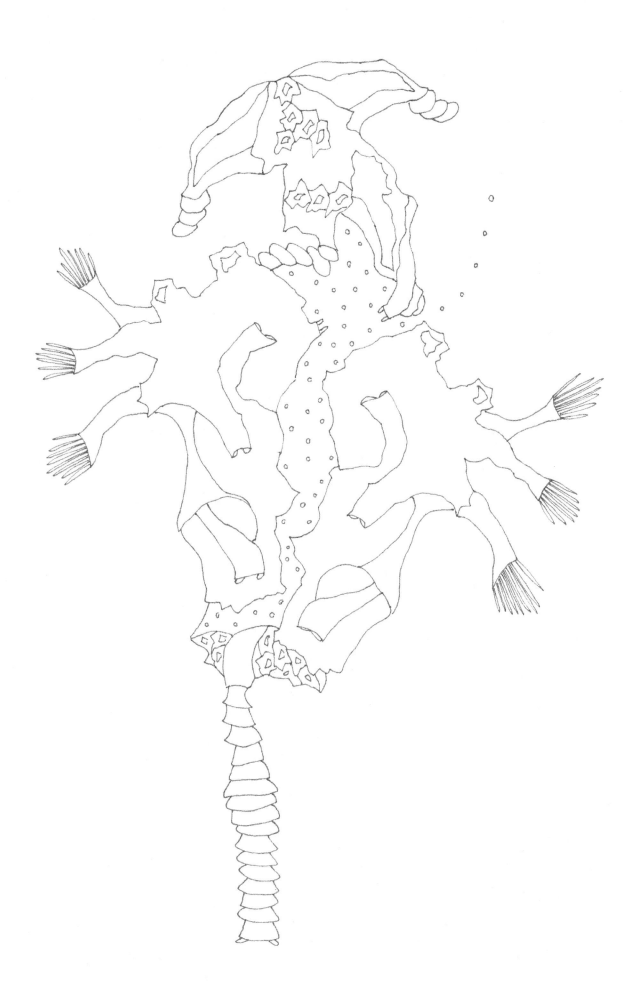

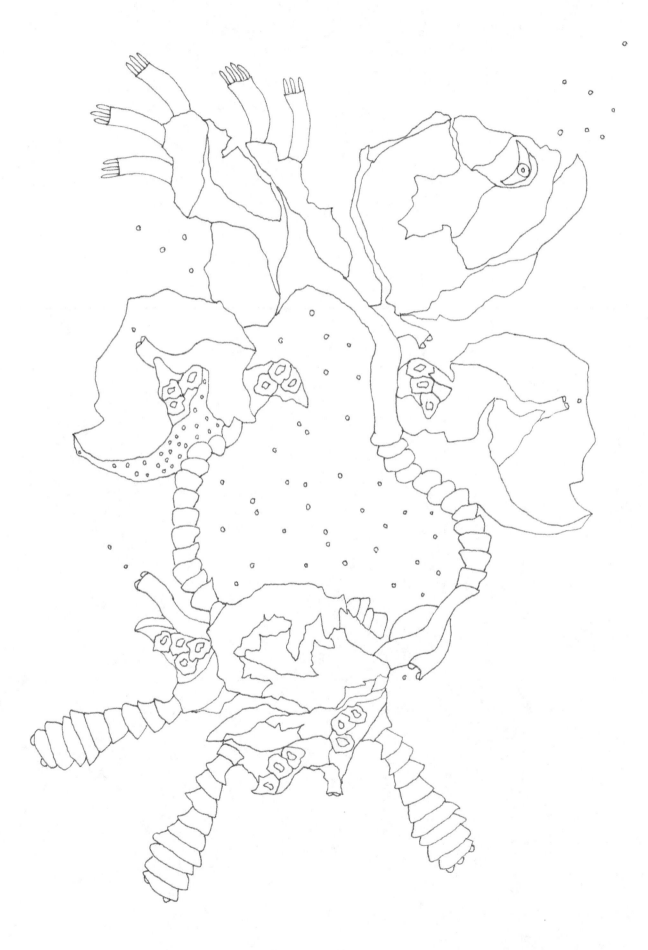

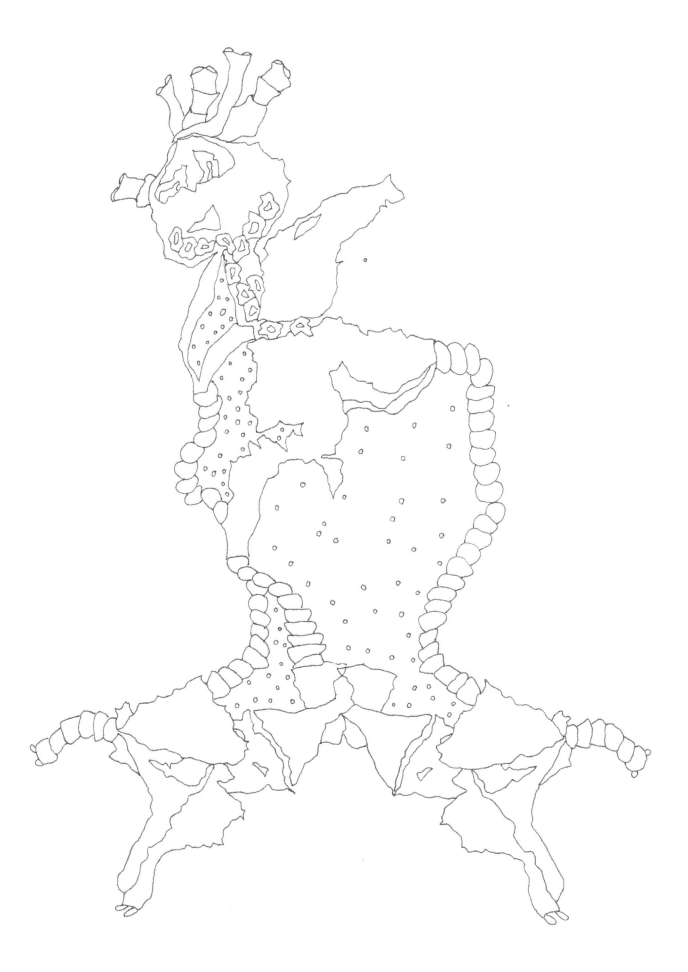

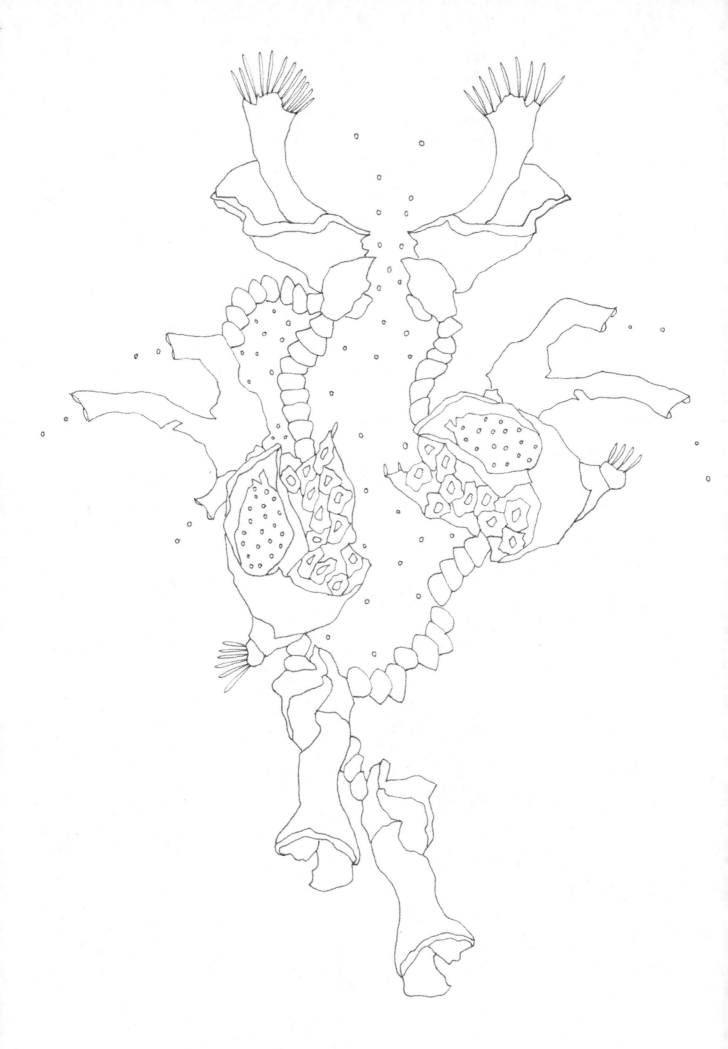

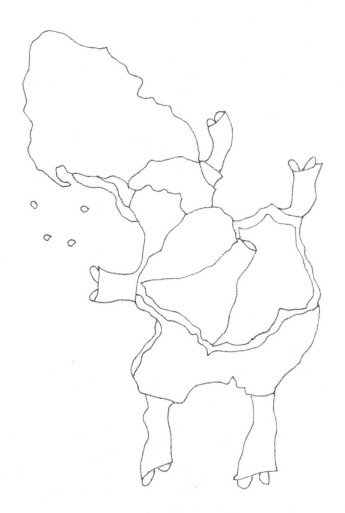

Die Barttasse

Man reichte sie mir im Nachmittagslicht. Die Tasse war offenbar kurz abgewaschen und der Tassenbart frisch geföhnt und gekämmt worden. Ich versuchte zu trinken, aber der Bart rutschte immer auf die Seite, an der ich ansetzen wollte. Es fühlte sich merkwürdig an, ihn mit den Lippen zu berühren. War der Bart tot? Lebte er? Wieso war es ihm überhaupt möglich zu verrutschen, der Tassenrundung nach Belieben zu folgen? Die Fragen, die den Tassenbart betrafen, nahmen anderen Gedankengängen den Platz. Vermutlich war das Taktik. Tee oder Kaffee? Eine beliebte Frage in alltäglichen Abläufen. Wer rechnete schon mit einer Barttasse? Ich bemerkte einzelne Härchen in meinem Tee. Der Bart saß genau am Tassenrand, als würde er sich nicht entscheiden können, entweder außen zu hängen oder in der Tasse zu schwimmen. Ich entschied mich, die Tasse stehen zu lassen, einfach aufzustehen und zu gehen. Ich ahnte noch nicht, dass alle Worte, die ich in den folgenden Tagen sprach, mir nackt und verloren vorkommen würden.

Das Ei

Ich hatte schon zum Schlag angesetzt, als es im Ei klopfte. Ganz leise. Ich hätte es fast nicht gehört. Ich legte mein Ohr an die Schale und lauschte. Ich glaubte zu verstehen und legte den Löffel beiseite. Ich verließ das Haus und ging bis zum nächsten Bauernhof. Dort traf ich auf eine Schar laut gackernder Hühner. Ein Huhn löste sich aus der Menge und stellte sich vor mich hin. Ich räusperte mich, rang nach Worten. Da schnellte sein Kopf zu Boden und es packte eine Assel, die gerade über meinen Schuh krabbelte. Achso!, dachte ich und ging.

Ein Brummen

Ich hielt es nicht mehr aus. Ständig brummte es. Ich ging vors Haus und starrte in den Himmel. Das Brummen hörte auf. Kaum hatte ich meinen Blick abgewendet, ging das Brummen wieder los. Also schaute ich wieder auf. Das Brummen verstummte. Ich schrie, was das sollte, fuchtelte mit den Armen. Dann ging ich ins Haus, holte mir eine Decke und legte mich auf die Wiese. Ich genoss die Ruhe, während ich in den Himmel schaute. Als ich einschlief, setzte das Brummen wieder ein; meine Träume störte das nicht.

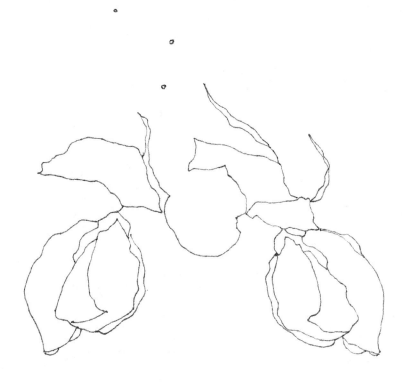

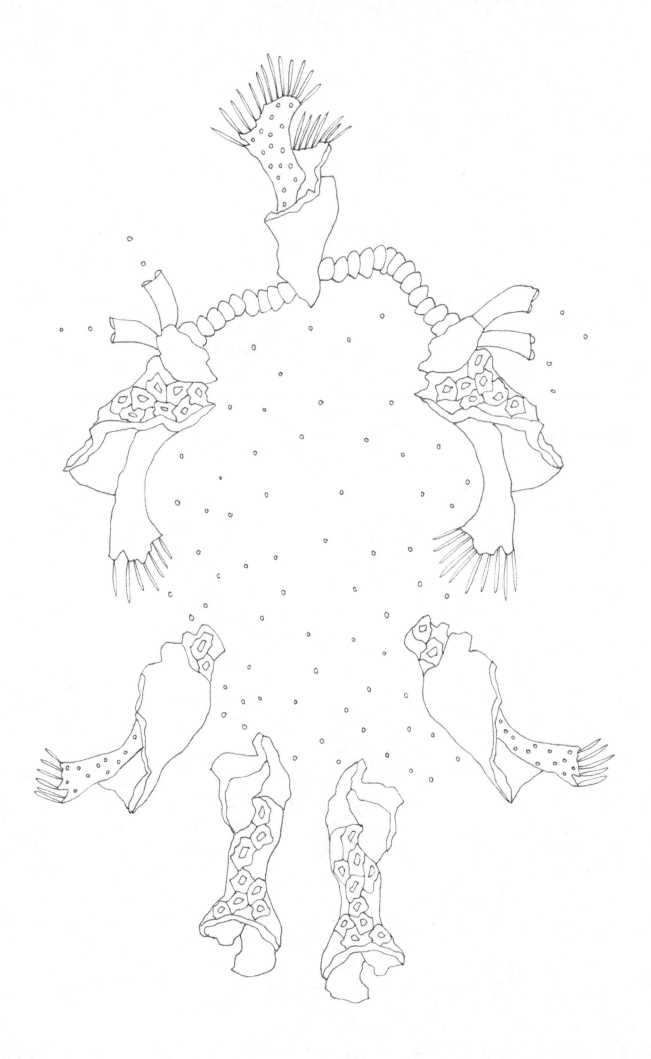

Hinter dem Feld

Die Wildgänse versammelten sich immer hinter dem Feld, bevor sie in den Süden aufbrachen. Tagelang hörte man ihre Rufe. Ich lief in den Wald, der an das Feld grenzte. Ich ging und ging, bis das Dorf hinter Ästen und Zweigen verschwunden war. Riesige Spinnen saßen in den Baumkronen. Beim Spazieren musste ich aufpassen. Oft überspannten die farblosen Fäden den gesamten Waldpfad. Ich hatte von Hirschen gehört, die leergesogen über den Wegen hingen, eigenartig verkrümmt. Ich wollte die Gänse sehen, wollte ihnen begegnen, bevor sie losflogen. Das Laub begann sich zu verfärben. Der Himmel war wolkenlos. Ich roch das modrige Laub und erreichte das Ende des Feldes in der rosigen Dämmerung. Die lauten Rufe der Wildgänse erschienen mir so nah wie noch nie. Aber ich fand sie nicht, da war nichts, was ich erwartet hätte.

Beulen

Anfangs hatte ich mich noch erschrocken. Ich war zum Arzt gegangen und hatte es untersuchen lassen. Wenn ich mich abends auszog, wölbte sich oft ein weiterer Auswuchs aus meinem Körper. Den jüngsten konnte ich nicht gleich ausfindig machen. Er befand sich im Bereich der Achsel. Ich musste schon genauer hinschauen, um sein winziges Gesicht zu erkennen. Ich muss zugeben, dass es mich beunruhigte, wenn ich die kleinen Gesichter nicht gleich erkennen konnte. Dann kamen mir düstere Gedanken und ich rief, wen auch immer, an. Das ist nichts, worüber wir uns Sorgen machen müssten, hatte der Arzt gesagt. Er fand es schon seltsam, das gab er zu, aber Obacht war hier nicht notwendig. Die kleine Achselbeule grüßte höflich und auch die auf meinem Rücken stimmte mit ein. Einmal hatte ich eine Beule, die genau über dem Bauchnabel sitzend, auffallend dunkelstimmig war. Wenn ich schlief, unterhielten sich die Beulen oft im Flüsterton. Ich konnte das nur wissen, weil manchmal gute Freunde bei mir übernachteten. Sie erzählten mir von einem Stimmengewirr, das sie hinter meiner Zimmertür wahrgenommen hätten. Mitunter verschwand eine Beule einfach. Es wäre zu viel des Guten zu behaupten, dass ich sie vermisst hätte, aber für kurze Zeit fehlte etwas. An den Strand wagte ich mich nur selten. Die Leute glotzten, sie zeigten mit Fingern auf mich und hielten ihre Kinder fest. Wären sie doch nur einmal nähergekommen. Vor dem Zubettgehen prüfte ich – wie immer – meinen Körper, tastete ihn nach Neuankömmlingen ab. Die Beule, die auf meinem Rücken saß, berichtete mir von einem unbekannten Nachbarn. Ich sprach ihn an, versuchte, ihm ein Wort zu entlocken. Mit jeder Sekunde, die ohne Antwort blieb, wuchs wieder meine Angst, wuchs der Wunsch zu telefonieren.

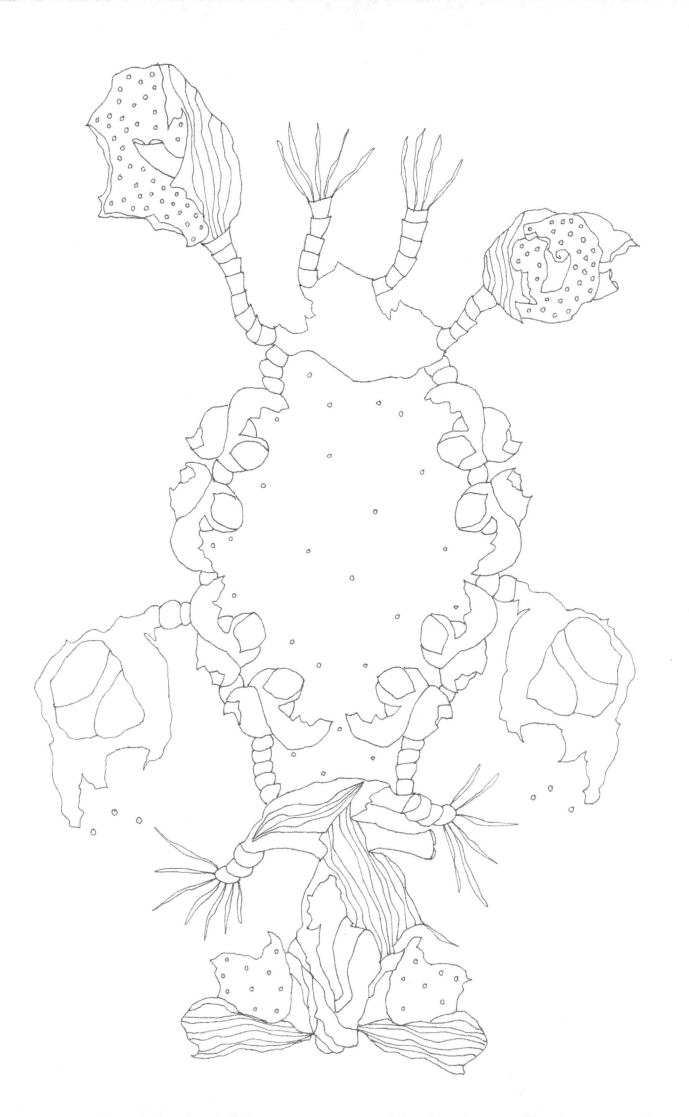

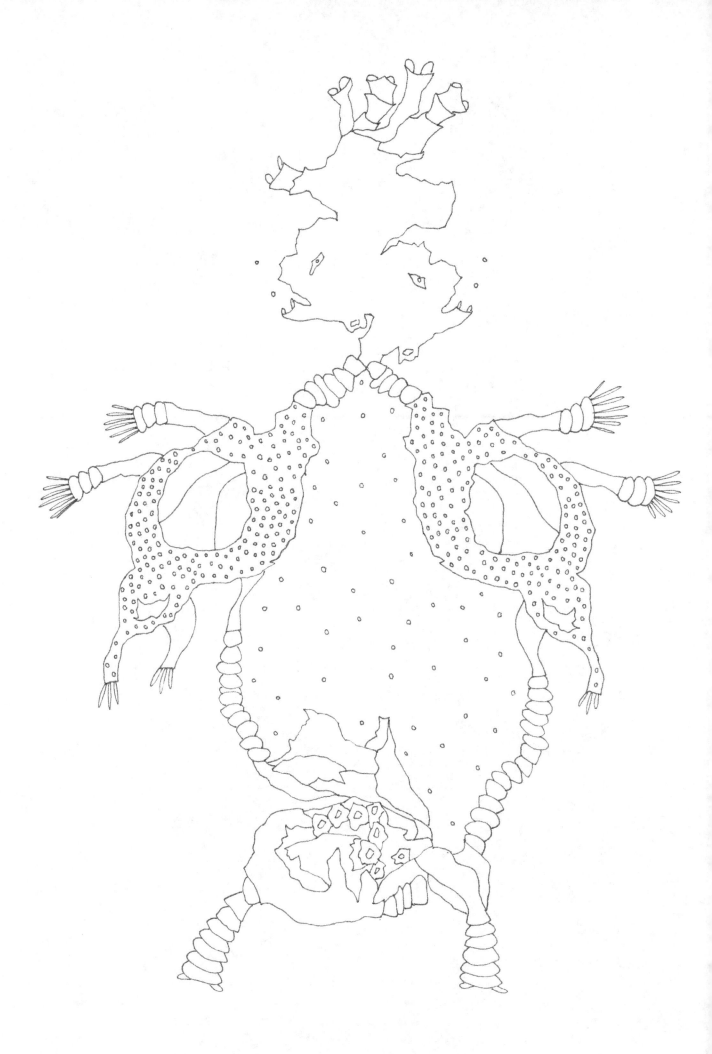

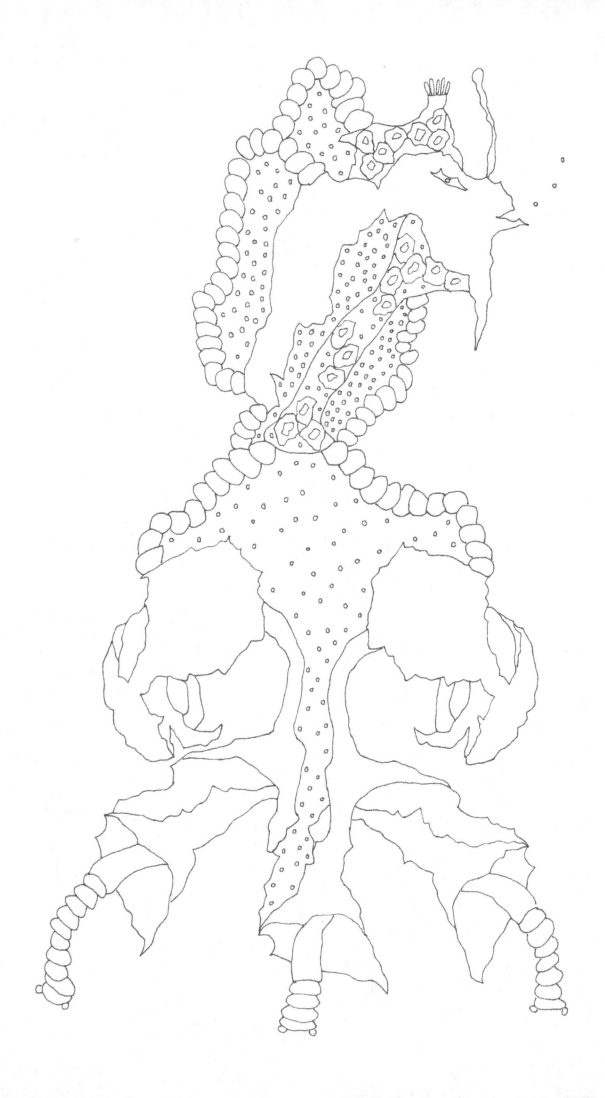

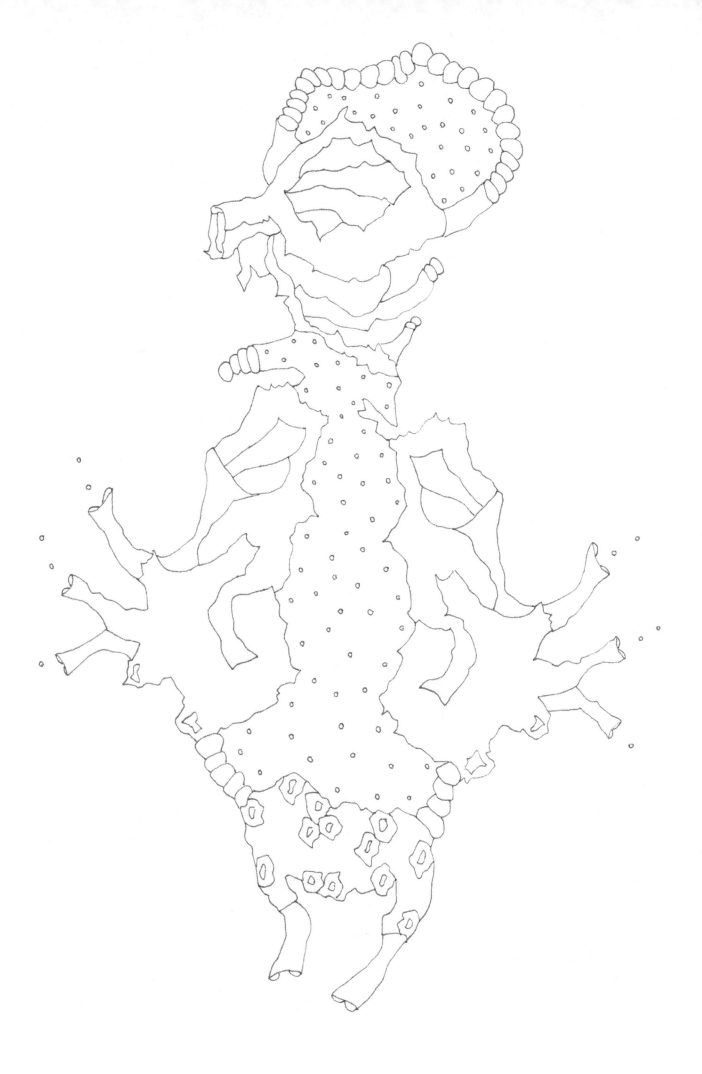

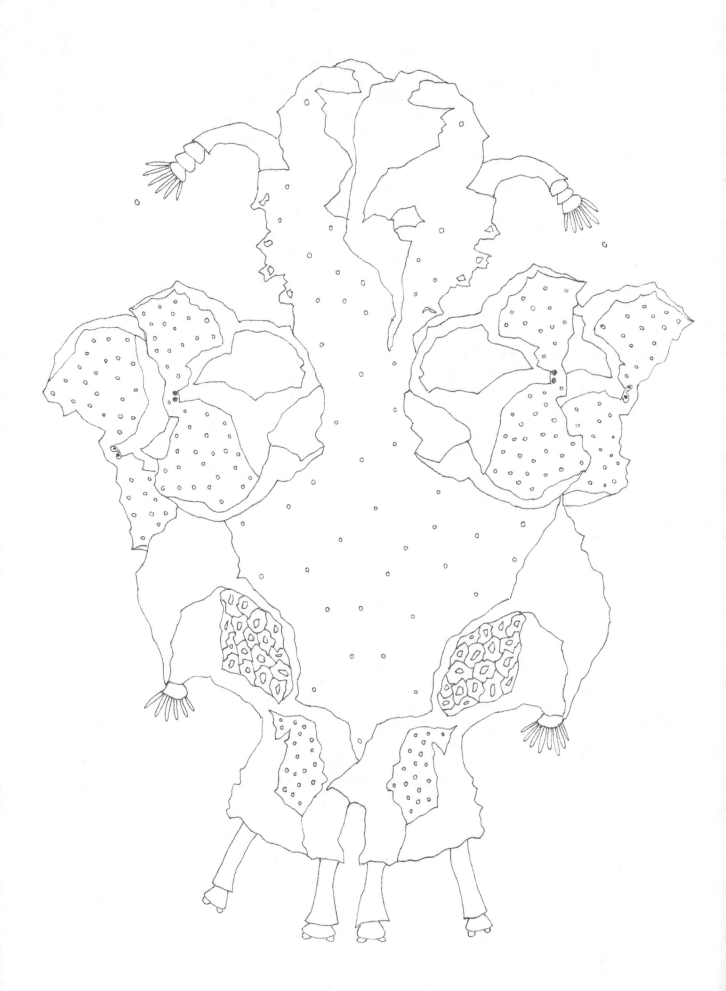

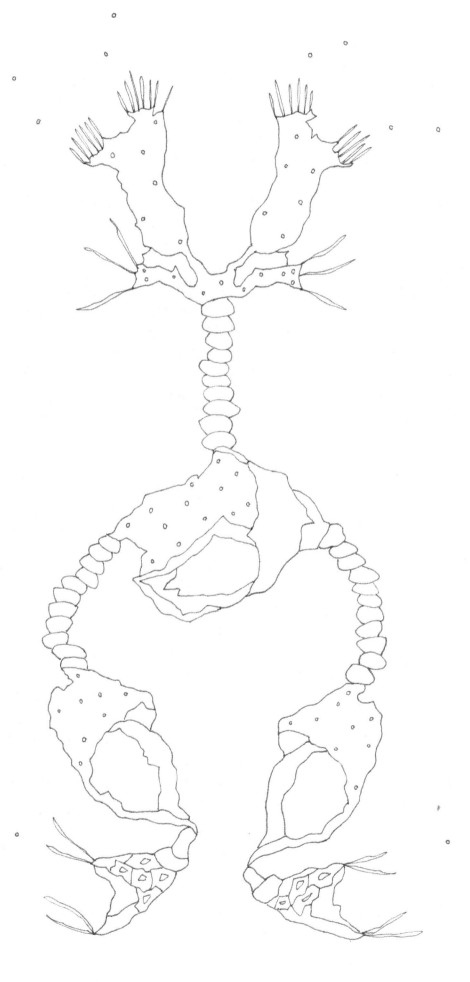

Der Zaun

Die Kirche vorm Haus wurde nicht mehr genutzt. Sie stand leer. Nur der alte gußeiserne Zaun, der sie umgab, fand weiterhin Verwendung. Seine zahlreichen Spitzen veranlassten die Leute, Dinge aufzuspießen. Ich musste an den Neuntöter denken, einen Vogel, den ich noch nie zu Gesicht bekommen, über dessen Verhalten ich aber schon eine Menge gelesen hatte. Im Winter schmückten den Zaun oft Handschuhe oder Wollmützen. Einmal entdeckte ich eine Bratpfanne, die ein großes Loch im Boden hatte. Auch Pizzakartons, vom Regen aufgeweicht, waren unter den aufgespießten Gegenständen. Manche Dinge wanderten von Spitze zu Spitze, als hätten sie ein Eigenleben. Ich mochte die Verwandlungen des Zaunes, ließ mich beim Verlassen des Hauses gern überraschen. An jenem Tag aber, als ich eine aufgespießte Ratte entdecken musste, wurde mir ganz anders. Das Spiel war vorbei. Nachts setzte ich mich oft hinter die Gardine und wartete im Dunkel auf eine Spur, etwas Verräterisches. Wochen vergingen, ohne dass etwas passierte. Nach der Ratte fragte längst niemand mehr. Hunde wurden an der Leine um die Kirche geführt und hinterließen ihre Häufchen auf dem schmalen Wiesenstreifen, der das Gebäude umgab. Manchmal schimmerte es schwach durch die hohen, schmuckvollen Bleiglasfenster der Kirche. Ich schob das auf meine wachsende Übermüdung. Ich konnte einfach keine Ruhe finden. Und doch verschlief ich die Nacht, in der eine Taube aufgespießt wurde. Das macht alles keinen Sinn, dachte ich. Der Neuntöter machte Sinn, aber das hier! Die Leute im Umkreis ließen sich von der Taube nicht stören. Sie waren der Meinung, dass es eh schon genug von ihnen gab. Bei Ratten war das nicht anders. Wieder schimmerte es im Kircheninneren, als ich meine nächtliche Wache hielt. In der Kirche bewegte sich etwas und wurde doch nur für Leere gehalten. Es gab Besichtigungen von potenziellen Käufern, die aus ihr ein Spaßparadies oder Ähnliches machen wollten. Ein Künstlerhaus mit eigenem Café. Ich fürchtete den Tag, an dem alle Spitzen des Zaunes gespickt werden würden. An den Bäumen im Umkreis häuften sich die Vermisstenmeldungen. Zuerst waren es Haustiere, später auch Kinder. Ich zog um. Ich verließ die Stadt. Aber in meinen Träumen fand der Zaun einen Weg, mir im Gedächtnis zu bleiben.

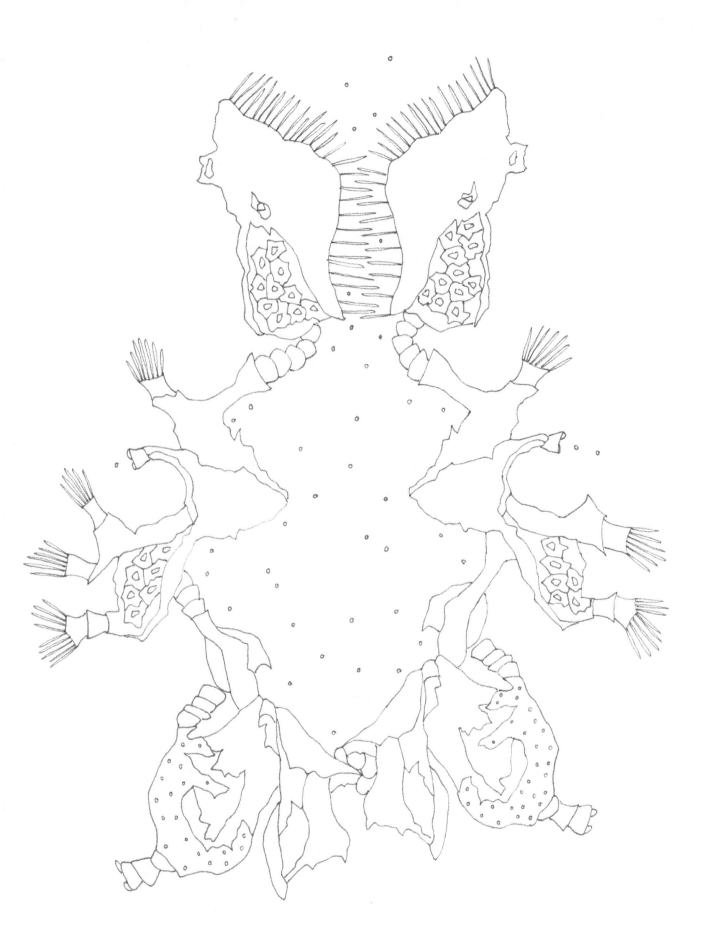

Der Hut

Auf einem Tisch stand ein schwarzer Hut. Ich saß nur zufällig in seiner Nähe.
Da lugte eine Nase aus dem Hut hervor. Sie schnüffelte, setzte sich kurz auf
die breite Krempe und sprang auf die Tischplatte. Zwei Augen hüpften aus
dem Hutinneren, umzingelten die Nase und versuchten, ihr die Öffnungen
zuzuhalten. Ein Mund hätte einschreiten können. Er hätte etwas sagen können.
Aber er fehlte. Stattdessen quälte sich ein Ohr die Hutwand hinauf und fiel, oben
angekommen, erschöpft um. Und das zweite Ohr? Wo blieb das? Ich starrte
den Hut an und wartete. Kein Ohr! So geht das nicht, dachte ich, erst fehlt der
Mund und jetzt ein Ohr. Die Augen hatten die Nase inzwischen verstopft. Ganz
rot war die Nase schon vor Anstrengung. Sie schniefte, röchelte. Nein, so geht
das nicht, dachte ich und warf den Hut vom Tisch.

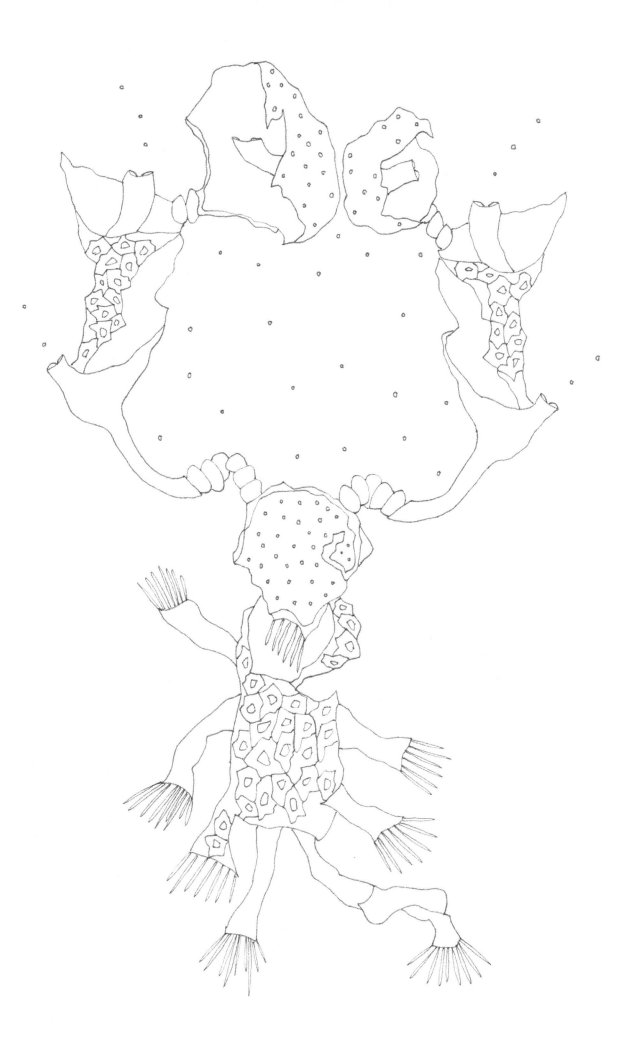

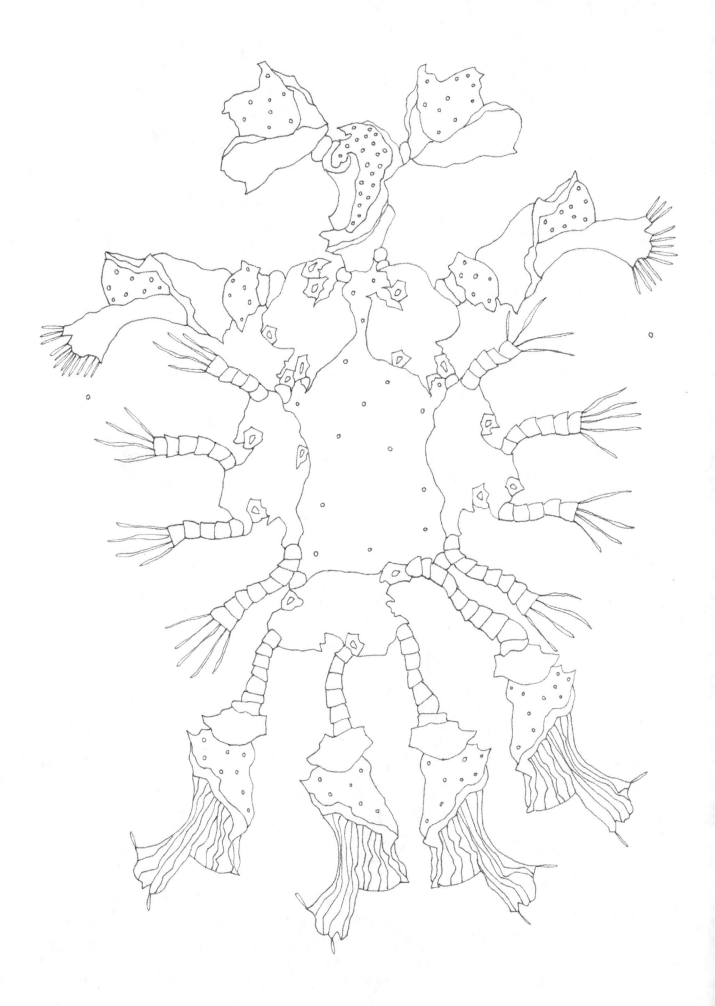

Die Enten

Ich saß auf der Terrasse und blickte über die breite Steintreppe in den Garten hinaus. Ich las in den Landkarten, die der Morgentau im Sand hinterlassen hatte. Ein Gärtner hatte sich in der Hecke verheddert und zappelte wie ein Insekt im Spinnennetz. Ich dachte über das Verschwinden eines Schlossbewohners nach. Wir waren alle nur für eine gewisse Zeit hier untergebracht. Anfangs hatte man es für eine Performance gehalten. Er arbeitete als Performancekünstler in Berlin. Die Aufregung währte nur kurz und wandelte sich später in diffuse Zuversicht. Ich spazierte zum naheliegenden Teich und warf ein paar Krumen, die vom Frühstück übrig waren. Die Enten hatten sich am anderen Ende des Teiches versammelt und drehten sich – eine nach der anderen – in meine Richtung. Ihre Augen wirkten matt und mir fiel auf, dass sie keine Laute von sich gaben. Sie setzten sich in Bewegung, kamen langsam näher und umkreisten einander in einem merkwürdigen Muster. Ich blieb stehen, freute mich anfangs noch über ihr scheinbares Zutrauen. Mein Blick wanderte über ihre Schnäbel, die Hälse hinab über das trübe Wasser, wanderte von Ente zu Ente. Moment, dachte ich, was war das? Ich fokussierte die Lücke zwischen zwei Enten. Da bewegte sich etwas unter der Wasseroberfläche. Ich sah Saugnäpfe, tellergroß, erkannte mächtige Fangarme, die die Enten zu dirigieren schienen. Ich fühlte eine Schwere in meinen Beinen, fühlte, dass die Zeit sich zu dehnen begann. Die Enten näherten sich, unbeeindruckt von den Krumen, die im Wasser schwammen. Bald würden sie mich erreichen.

Ein Mann

Ein Mann besuchte den Wochenmarkt. Am Gemüsestand prüfte er Gurken, Avocados, Radieschen, einen Kohlkopf, Möhren, Brokkoli und Blumenkohl. Er wägte sehr lange ab und entschied sich kurzerhand für acht große fleischige Tomaten. Sieben landeten in seinem Korb und eine legte er sich zwischen die Schultern, genau da hin, wo eigentlich der Kopf sitzen müsste. Die Tomate schaukelte beim Gehen hin und her. Manchmal, wenn er schnell stoppen musste, sei es, weil Fahrradfahrer oder spielende Kinder seinen Weg kreuzten, wirkte das Schaukeln der Tomate wie ein freundliches Nicken. In diesem Fall grüßten die Leute oder lächelten kurz. Gerade als er einen Obststand passierte, nahm er die große fleischige Tomate von seinen Schultern und legte sie in seinen Korb. Er griff nach einer Erdbeere und positionierte sie an jenem Platz, der eben noch der Tomate zugedacht war. Dann wandte er sich dem Händler zu. Etwas Fragendes war der Erdbeere anzusehen. Vielleicht lag das an ihrer leichten Neigung. Der Mann kaufte die Erdbeere und machte sich wieder auf den Heimweg. Unterwegs hielt er kurz an, um sie zurecht zu rücken. Vermutlich versuchte er, sie so zu platzieren, dass ihr Blattgrün nach oben zeigte. Das funktionierte nicht. Er hätte sie sonst unten anschneiden müssen. Deshalb hatte das Blattgrün eher etwas von einem Kragen. Mit der Zeit konnte der Mann über die gelben Pünktchen der Erdbeere Stimmungen signalisieren. Zuerst nur schwach, als wären es Glühlämpchen. Die Erdbeere wurde größer und größer, reifte von Tag zu Tag. Bei einem Waldspaziergang passierte es. Eine Amsel schnappte sich im Flug die große saftige Erdbeere. „Hilfe!", schrie eine Wanderin, die ihm zufällig begegnete, „Meine Güte! Ihr Kopf!" Der Mann erschrak, freute sich aber, den Wind an seinen Erdbeerwangen zu spüren. Erst als die Amsel auf einem Baum landete, wurde ihm die Tragik bewusst. Mit jedem Einhacken auf die Erdbeere wuchs der Schmerz. Er floh ins Unterholz und wurde nie wieder gesehen.

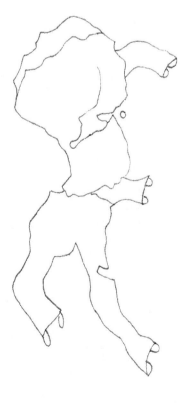

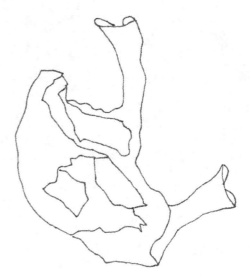

Heut´ gehe ich zum Strand

Heut´ gehe ich zum Strand, dachte ich, öffnete die Tür und lief durch den Garten, über fremde Grundstücke und Landesgrenzen hinweg, bis ich das Meer erreichte. Ich lief an den Strandbesuchern vorbei und verschwand in den Wellen. Als ich über den Meeresboden ging, grüßte ich Heringsschwärme und Seesterne. Ich grüßte Flundern, Moränen und Wale. Die Pottwale schliefen und hingen kopfüber wie reife Früchte im Meer. Die Korallengärten begeisterten mich. Hätte ich eine Bank gefunden, hätte ich mich ausgeruht. Ich hörte oben eine laute Schiffsschraube und stolperte über einen Steinfisch. Moment, dachte ich, ich gehöre hier gar nicht hin! Ich stieß mich vom Meeresboden ab, strampelte und strampelte. Fast wäre ich ertrunken.

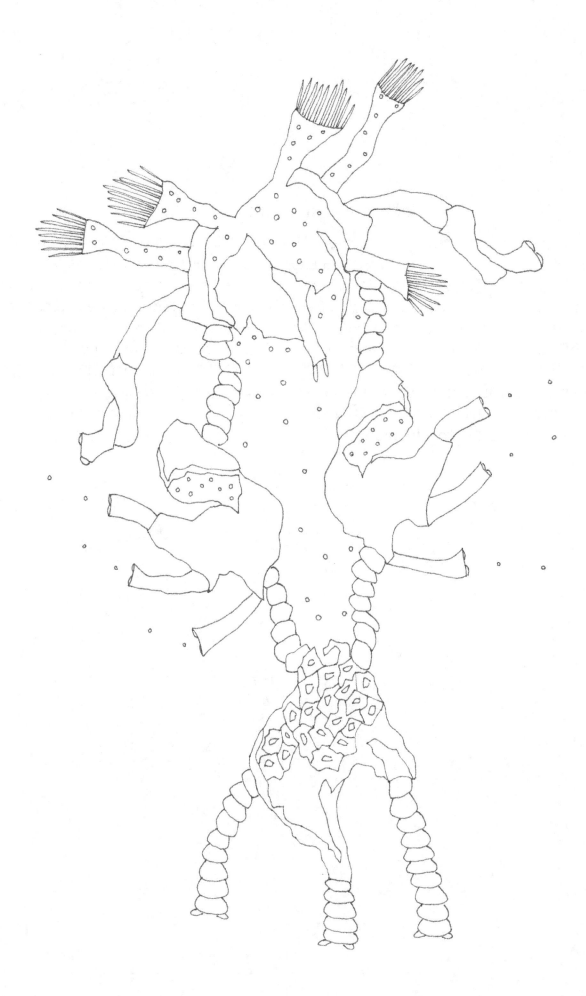

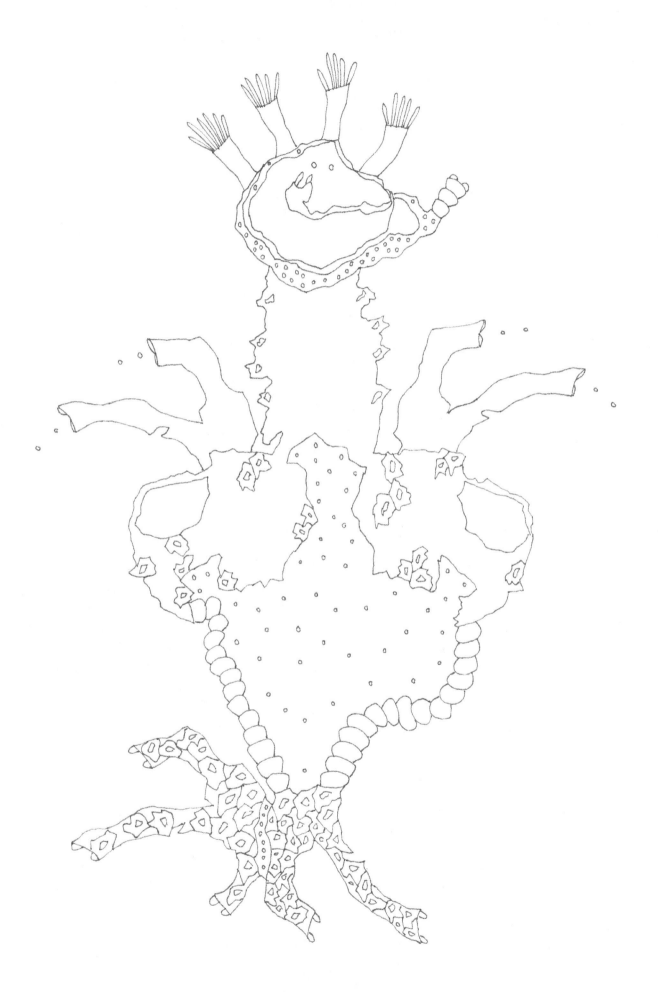

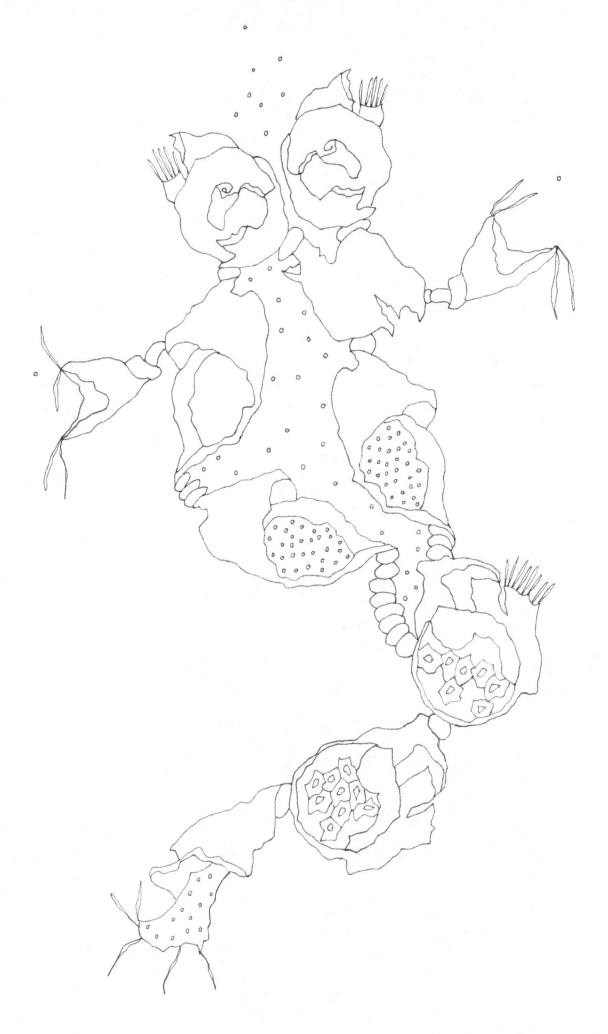

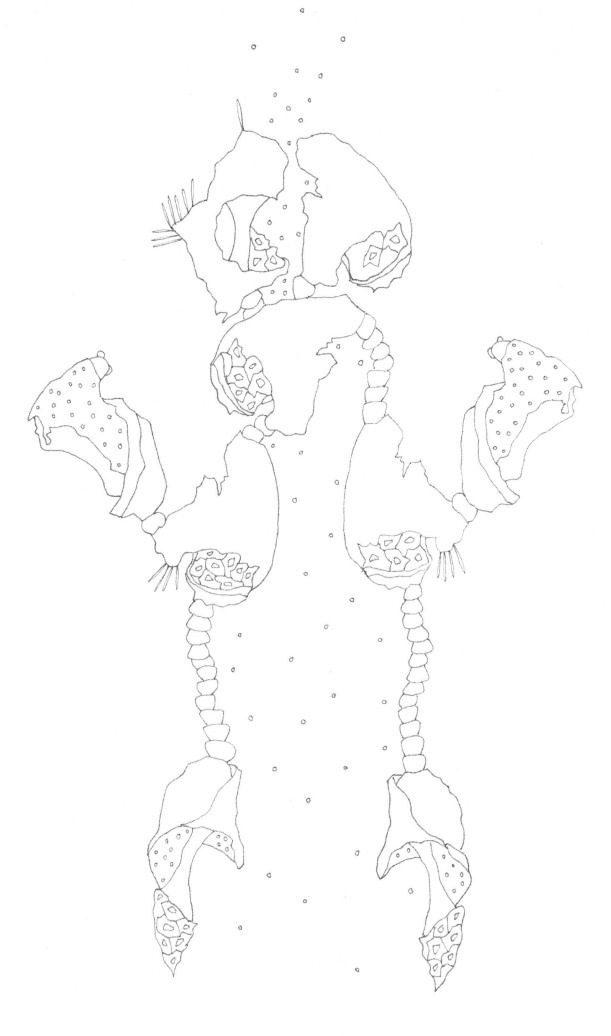

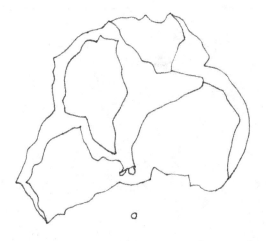

Der Baum

Ich spazierte bis zur ersten Bank, die ich finden konnte, und setzte mich. Ich ging diesen Weg sonst nie und musterte die Umgebung genau. Ich sah ein kleines schwarzes Hündchen und, als ich der Leine mit meinem Blick folgte, eine Dame mittleren Alters, die laut und augenrollend telefonierte. Das Hündchen zog und zog an der Leine und hätte sich dabei fast erwürgt. Da schnellte ein hoher mächtiger Baum zu Boden und erschlug beide. Ein mächtiges, knarzendes Klatsch. Dann richtete er sich wieder auf. Jetzt kam ein Fahrradfahrer. Klatsch. Jetzt ein Jogger. Klatsch. Eine kleine Touristengruppe. Klatsch. Halbstarke. Klatsch. Und nochmal Klatsch. Merkwürdig, dachte ich, wie weit der Baum sich hinabbiegen kann. Der Weg im Umkreis des Baumes hätte mit Erschlagenen gepflastert sein müssen. Wäre da nicht der aufziehende Sturm. Die platt Geschlagenen lösten sich nach und nach vom Weg und flatterten in den Himmel hinauf. Platt wie Papier hatte sie der Baum geschlagen. Man hätte ein Buch aus ihnen binden können.

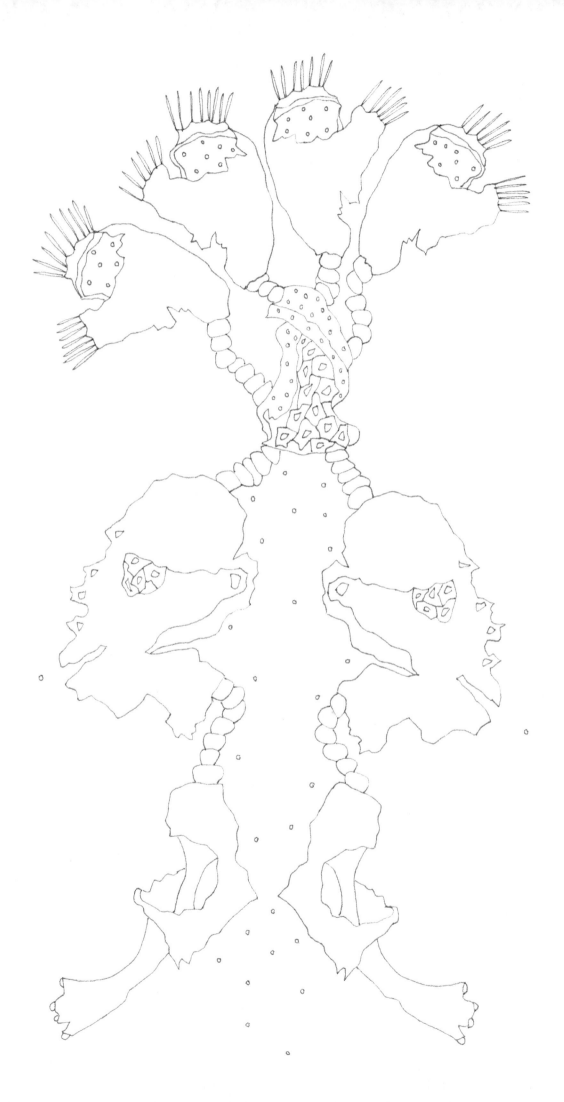

Wald

Bäume sind Bäume. Andere mochten das glauben. Bei meinen Wanderungen achtete ich genau auf die Moosseite. Hatte sich etwas verändert? Über das Fotografieren dachte ich erst später nach. So hätte es sich leichter prüfen lassen. Wenn, dann musste es nachts stattfinden. Das tastende Suchen der Äste und Zweige. Genauso wie Adern einen Körper durchzogen, verflochten sie sich ineinander. Die Geräusche mochten an Windböen erinnern oder das Auffliegen von Nachtvögeln. Später würden sich die Stämme ächzend aus dem Boden heben. Und das Wesen würde sich in Bewegung setzen. Nicht der ganze Wald. Nein. Nur Teile besaßen diese Fähigkeit und schienen den Pilzen nahe zu sein. Manchmal nachts, wenn ich in meinem Bett erwachte, roch ich das modrige Holz. Ich wohnte nicht weit vom Wald. Das Fenster musste nicht geöffnet sein. Dieser Geruch war so stark, dass ich ihn auf meiner Zunge schmecken konnte. Erst als ich mich traute, unter meiner Bettdecke hervorzulinsen, sah ich die Bewegungen im Dunkel. Manchmal hatte ich das Gefühl, dass es kurz stillstand, bevor es sich weiterbewegte. Ich war froh, dass zwischen ihm und mir eine Wand war, aber die Vorhänge würde ich nie zuziehen.

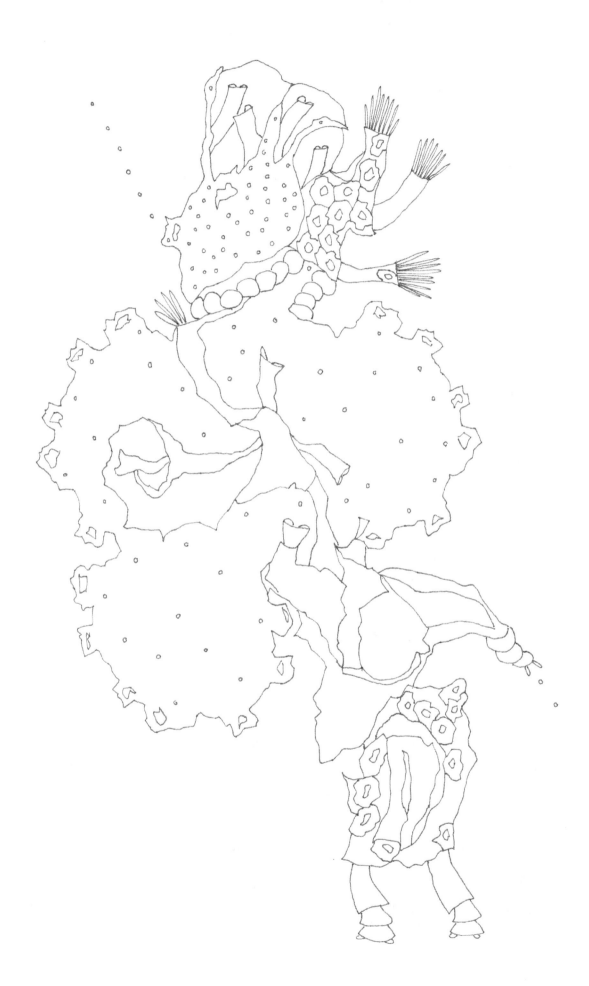

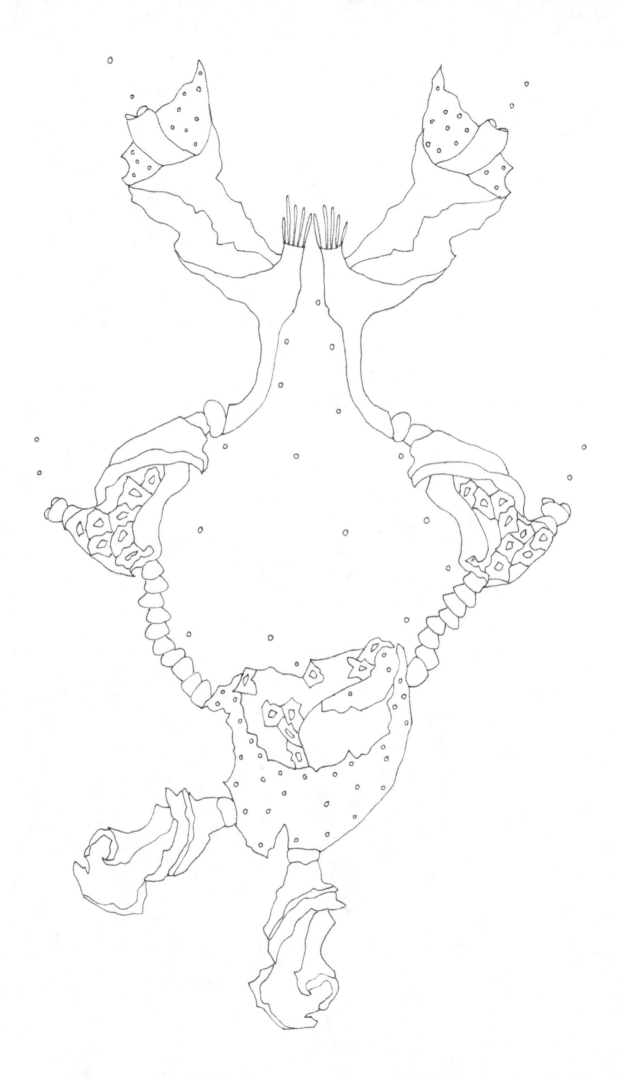

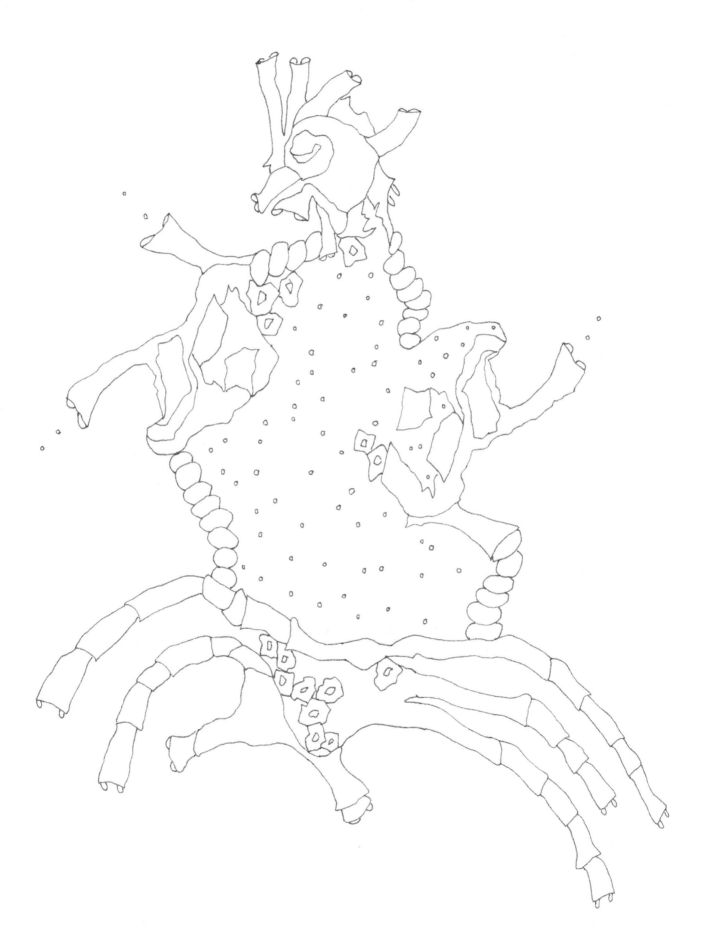

Jonglage

Sobald ich das Gebäude betrat, jonglierte ich Kinder: Kinder, die Eis aßen; Kinder mit schokoladenverschmierten Mündern; Kinder, die laut brüllten; leise Kinder waren auch darunter; schreibende Kinder sogar. Ich jonglierte sie die Treppen hinauf und hinab. Mitunter kamen neue Kinder hinzu. Dann musste ich aufpassen, nicht aus dem Takt zu geraten. Sie sprangen oft ohne Ankündigung in meine Jonglage. Ich jonglierte sie über den Flur in das Büro der Zentrumsleiterin. Sie war so gnädig, mir die Kaffeetasse an den Mund zu halten, damit ich kurz nippen konnte. Ich jonglierte und jonglierte die Kinder. Aus ihren Hosentaschen flogen Papiertaschentücher, Filzstifte ohne Deckel, aufgeplatzte Tintenpatronen, Smarties und angelutschte Bonbons. Manchmal flogen zerknüllte Papiere aus ihren Taschen. Ich kickte sie wie kleine Bälle vor mir her, um ja keines zu verlieren, und erwartete ungeduldig das Ende der Jonglage.

In den Wellen

Ich wollte gerade zu meinem Buch greifen, als ich etwas in den Wellen entdeckte. Es wirkte wie ein nasses Fell. Als es schon ganz nah war, erkannte ich eine Perücke. Jetzt hob sich darunter ein Clownskopf aus dem Wasser. Mit jedem Schritt vervollständigte sich der Clown. Als er das Meer verlassen hatte, sah ich, dass er riesige spitze Schuhe trug. Sein Weg endete genau vor meiner Stranddecke. Er tropfte und sein langer Schatten nahm mir die Sonne. Ich versuchte, ihn ein wenig mit der Hand nach links zu dirigieren, aber er reagierte nicht. Der Clown bewegte sich kein Stück und sein Gesicht war alles andere als freundlich. Da umschwirrte eine Mücke meine Nase, die ich sofort zerschlug. Der Clown begann zu lächeln. Ich klatschte abermals. Sein Lächeln wurde breiter. Ich begann, ihm euphorisch zu applaudieren, jubelte, pfiff, trampelte mit den Füßen. Er verbeugte sich mehrmals tief, so tief, dass ein bisschen Sand an der Perücke kleben blieb. Dann drehte er sich um und verschwand kindlich hüpfend in den Wellen.

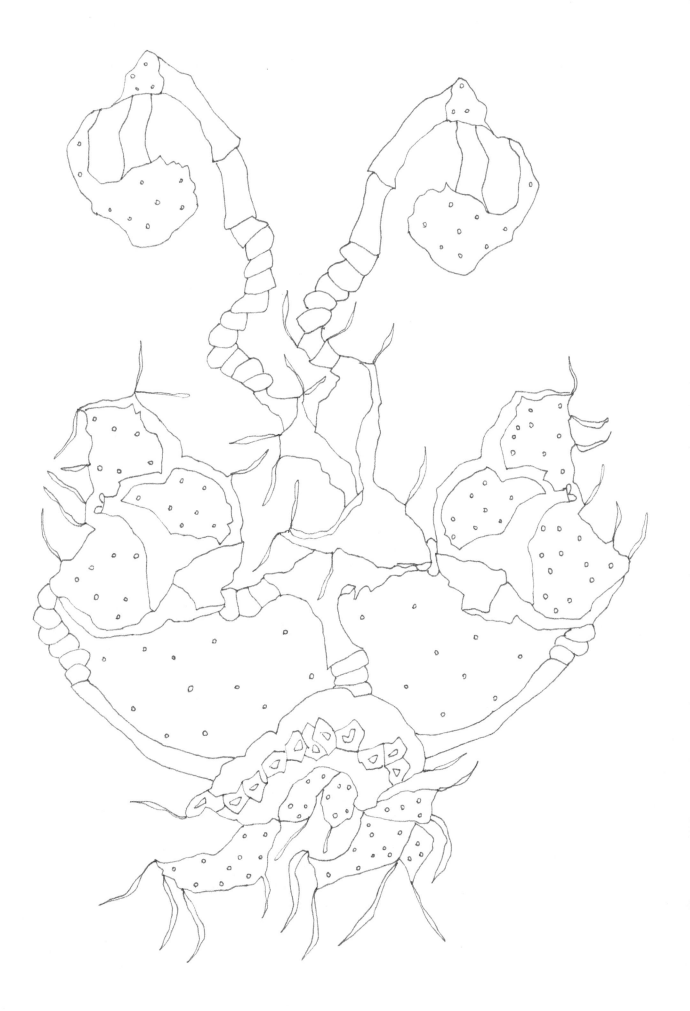

Am Fenster

Ich stand am Fenster und zählte die Wolken. Ich bemerkte an der Scheibe einen kleinen Fleck, den ich wegzuwischen versuchte. Beim Wischen fiel mir auf, dass eine Wolke verrutscht war. Ich versuchte es noch einmal, und tatsächlich – ich konnte sie mit dem Finger am Himmel dirigieren. Eine Schar Wildgänse geriet völlig durcheinander, als ich einzelne Gänse verschob. Und Flugzeuge? Ich wischte das nächstbeste immer wieder, entlang seines Kondensstreifens, ein Stück zurück. Ich wischte und spielte mein Spiel, ohne ein Unglück zu bedenken.

Meine Stimme

Nie wusste ich, mit welcher Stimme ich sprechen würde. Nicht einmal am selben Tag blieb meine Stimme unverändert. An der Supermarktkasse passierte es, dass ich nach Treuepunkten gefragt wurde und nur mit einem lauten Bellen antworten konnte. Anfangs hatte ich noch versucht, solche Situationen zu retten, indem ich erneut antwortete. Wenn dem Bellen dann ein Mauzen oder Piepsen folgte, verschlimmerte das die Lage eher. Wenn ich in fremden Sprachen redete, freute mich das meistens. Ich blickte mich dann um und schaute, ob mir jemand freundlich zunickte. Mitunter glaubte ich, Außerirdisch zu sprechen. Sprachforscher konnten meine Laute keiner Sprache zuordnen. Auch im Wald antwortete mir keines der Tiere. In Gesprächsrunden hielt ich den Mund. Es hätte nichts gebracht, wenn ich mich zum Beispiel mit einem fröhlichen Kikeriki zu Wort gemeldet hätte. Freunde fand ich deswegen nur selten.

Lichtflecke

Ich streckte mich gähnend auf meinem Stuhl und spürte die Wärme an meinen Füßen. Ich hatte vergessen, die Socken auszuziehen. Ich streifte sie ab, legte sie auf meine Schuhe und lehnte mich wieder zurück. Schon war mein Lichtfleck gewandert. Nur noch mein kleiner Zeh wurde spärlich gewärmt. Ich rückte meinen Stuhl zurecht und setzte mich wieder hin. Aus allen Richtungen schimpfte und fluchte es. Ständig erhob sich jemand und korrigierte seine mobile Sitzgelegenheit: Klappstühle, Hocker, leere Kartons oder Bierkästen. Eine Pinguinkolonie würde passen, um anzudeuten, wie viele es waren. Manche mochten ihren Fleck eher am Kopf, Andere an der Brust. „Passen Sie doch auf!", rief ich, als jemand im Vorbeirutschen knapp mein Hosenbein streifte. „Mein Fleck!", meckerte er, „Sagen Sie das meinem Fleck!" Ich spürte eine Veränderung, eine Art Wasserfall in meinem Körper. Es hätte mir Angst machen können. Ich hatte den Eindruck, nicht mehr von oben auf meinen Fleck zu schauen, sondern in ihm drin zu sitzen. Meine Gedanken waren die des Flecks. Je aufmerksamer ich hinhörte, desto lauter wurden die Lichtfleckgedanken der Kolonie. Da hackte ein Stuhlbein genau in mich hinein. Über mir kam es zum Streit, zu Handgreiflichkeiten. Es hatte fast etwas von einem Tanz.

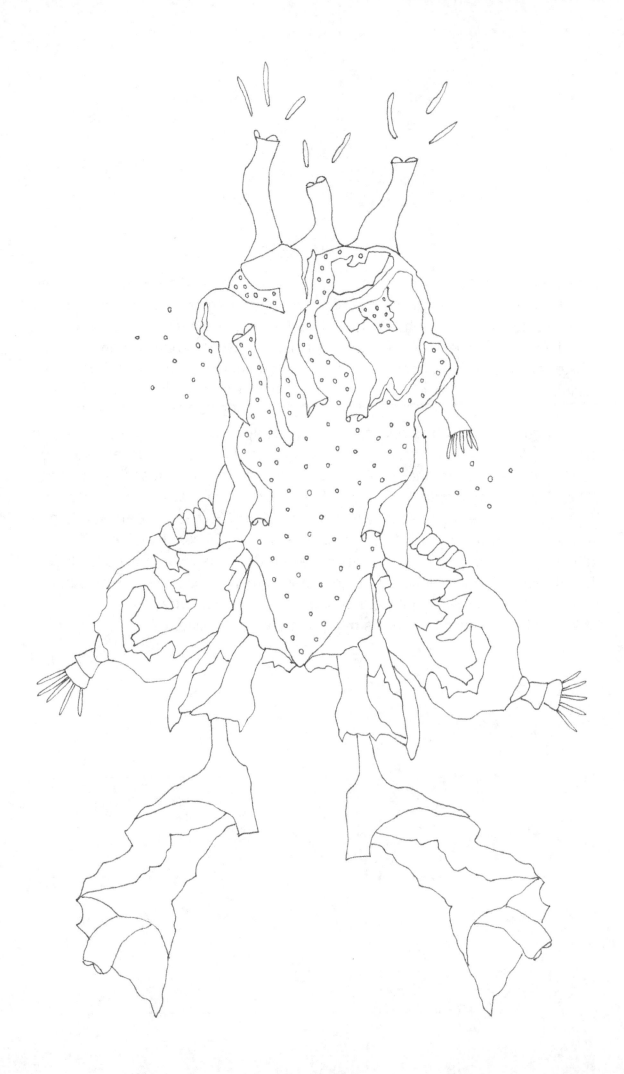

Das Haus

Ich verstand nicht, was sie wollte. Sie fuchtelte mit den Armen. „Kommen Sie!
Kommen Sie!" Sie bückte sich und versuchte, etwas zu heben. Auch beim
Näherkommen konnte ich nicht erkennen, was es war. „Kommen Sie!", rief
sie wieder. Als ich neben ihr stand, verstummte sie. Als wären alle Worte, die
sie sprach, nur für weite Distanzen gedacht. Stattdessen deutete sie auf den
Boden. Ich sah nichts, was man hätte anheben können. „Ich verstehe nicht!"
Wieder bückte sie sich und grub ihre Hände in die Erde an der Hauswand. Ich
zuckte mit den Schultern. Da griff sie zu ihrem Besen, der an der Hauswand
lehnte, separierte ein Häufchen vom Dreckhaufen, den sie zusammengekehrt
hatte, hob die Fußmatte und kehrte es darunter. Ich glaubte zu verstehen und
ging ein paar Schritte zurück, um Worte aus ihr hervorzulocken. Zuerst bewegte
sie nur ihren Mund, ohne etwas zu sagen. Ich musste also noch ein Stück
gehen. „Das Haus!", rief sie nun, „Bitte helfen Sie!" Ich deutete auf meine Uhr:
„Oje! Ein wichtiger Termin!", und lief davon. Wochen später entdeckte ich ihren
Schattenriss im Morgennebel. Ich lauschte dem gleichmäßigen Geräusch des
Kehrens. Sie kehrte und kehrte einen wachsenden Haufen vor sich her. Einen
Hügel. Einen Berg. Die Straßen hinauf und hinunter.

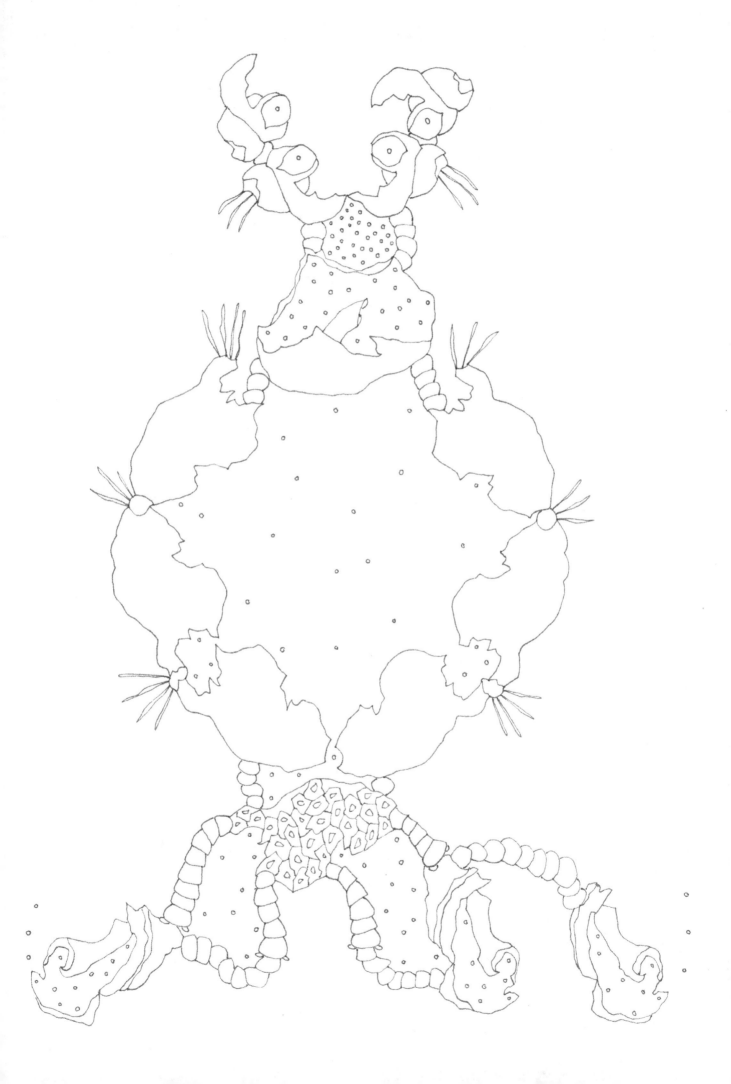

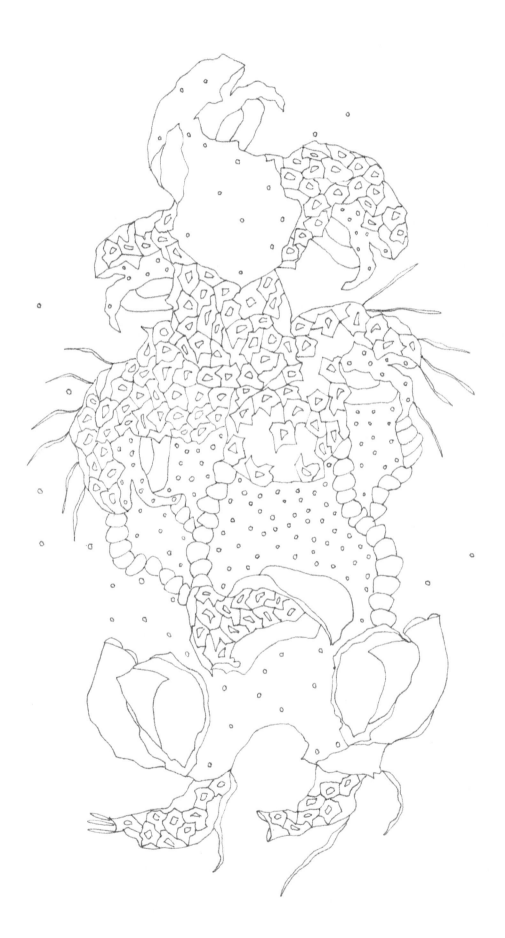

Regen

Die Tropfen, die da vom Himmel fielen, erinnerten mich an etwas. Ich stand lange am Fenster. In meinem Kopf spielte sich alles in Zeitlupe ab. Das Gewitter. Der Sturm. Botanisches flog in scharfen Wehen vorüber. Staub und Dreck machten die Luft undurchsichtig und grau. Ich sah die Tropfen fallen. Ganz langsam. Ich konnte in jeden einzelnen hineinschauen. Wasser und wieder Wasser. Vielleicht Pflanzenreste. Etwas Asche, wenn im Krematorium gearbeitet wurde. Zuerst glaubte ich, nur müde zu sein, als sie sich veränderten. Müdigkeit war mein Dauerbegleiter in diesen Tagen. Ich glaubte schon nicht mehr daran, dass irgendetwas hinter Wolkenmassen und Nebelwogen zu finden war. Aber die Tropfen veränderten sich. Als wären da Tintenflecke, die sich langsam in ihnen ausbreiteten. Augenflecke? Oder Nasenlöcher? Zwei Münder, die sich widersprachen? Ich rieb mir die Augen. Als ich wieder klar sehen konnte, war der Regen vorüber. Ich ließ meinen Blick über das Areal vor meinem Fenster gleiten. Ich suchte auf dem Fensterbrett nach einer kleinen Pfütze, wenigstens einer Lache. Die Ruhe nach einem solchen Sturm hat etwas von einer überstandenen Operation. In dir findet etwas statt, dass du nur erspüren kannst.

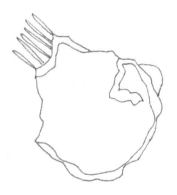

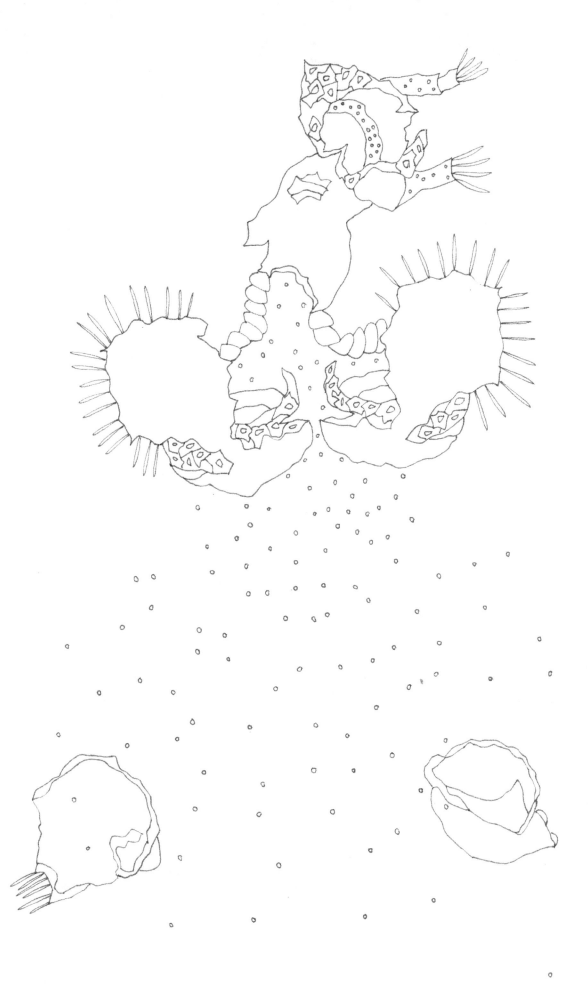

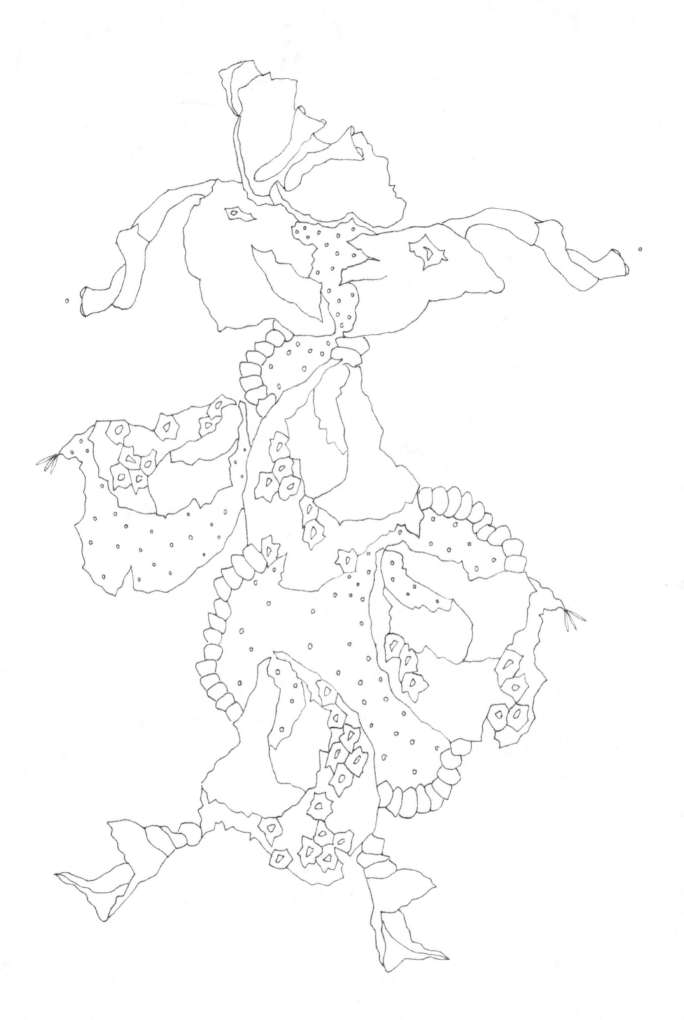

Das Bettzeug

Die Bettdecke schob mich zur Seite, streckte sich und stand auf. Wieder hatte sie vergessen, mich aufzuschütteln. Am meisten störte mich, dass sie die Tür immer ins Schloss schlug, wenn sie das Haus verließ. Wenn sie am Abend zurückkehrte, erzählte sie nie etwas. Ich hörte, dass sie im Wohnzimmer noch fernsah. Als sie das Schlafzimmer betrat, hielt ich so still wie möglich. Ich wollte nicht, dass sie mich bemerkte. Ich hatte den ganzen Tag Dinge erledigt, hatte mich beschäftigt. Aber davon sollte sie nichts wissen.

Der Einzige im Ort

Ich war der Einzige im Ort, der ein Haus auf seiner Nasenspitze balancieren konnte. Viele versuchten es mir gleich zu tun, erlitten aber schwere Verletzungen. Zuletzt erst hob ich ein Haus am Stadtrand hoch, das frisch gebaut worden war. Es ließ sich ganz leicht balancieren. Innen hörte ich klirrendes Geschirr, Ächzen, Geschrei. Ich hätte kurz klingeln und Bescheid geben sollen, dachte ich noch, als zwei Beine zappelnd durch eines der Fenster brachen. Die Hysterie im Hausinneren erreichte ihren Gipfelpunkt. In solchen Fällen konnte mir ein Haus leicht von der Nasenspitze rutschen. Also brach ich ab und stellte das Haus behutsam zurück an seinen Platz. Ich zupfte ein Blümchen im Garten und legte es vor die Haustür, bevor ich ging.

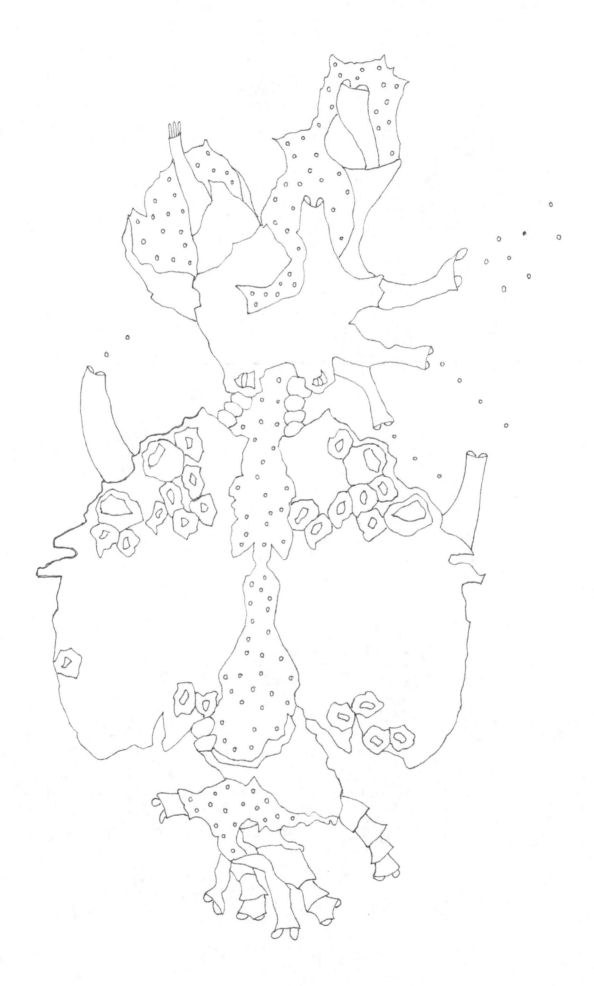

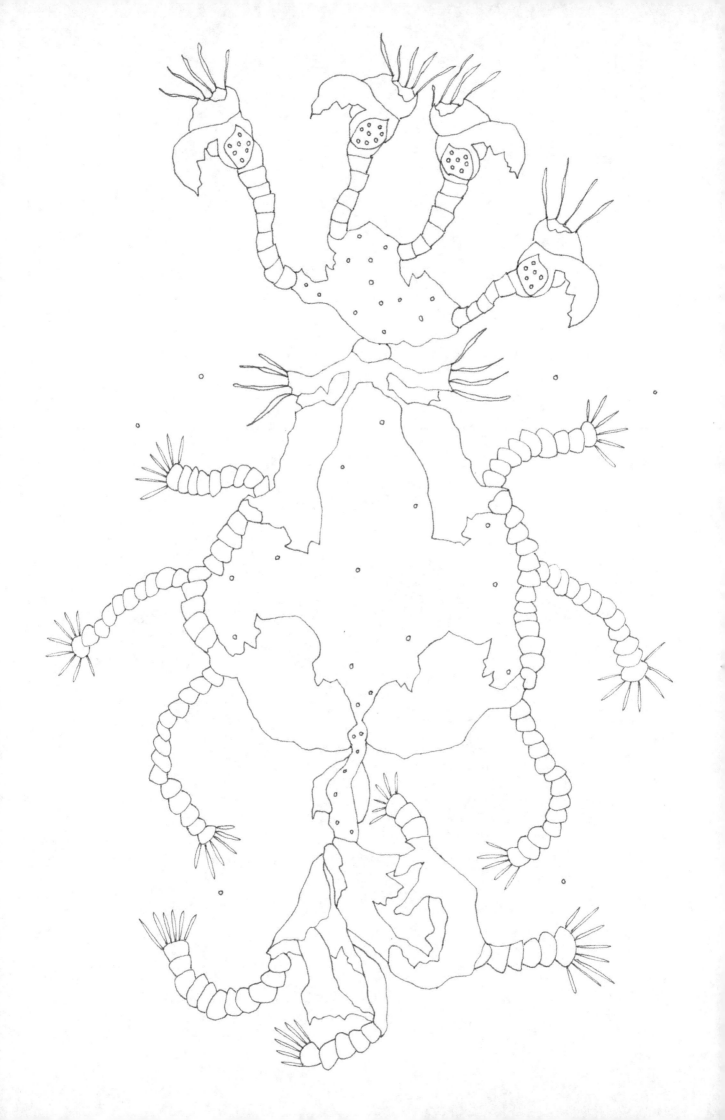

Die Seife

Lebte die Seife? Ich wollte den Rasierer gerade zurück in sein Schubfach legen. Die kurzen dunklen Haare mussten auf sie hinabgerieselt sein. Konnten sie aus ihr herauswachsen? Ich sah meinem Kopf zu, wie er sich im Spiegel schüttelte. Ich wischte mit dem Zeigefinger über ihre Oberfläche. Keine Haarwurzeln. Ich wusch die Haare ab und legte die blanke Seife zurück an ihren Platz. Als ich zurückkehrte, waren die Haare wieder da. Nicht länger. Nicht kürzer. Einfach wieder da. Zuerst erschrak ich. Aber ich gewöhnte mich daran. Mit jedem Tag wurde die Seife kleiner. Bevor ich sie benutzte, wusch ich die Haare kurz ab. Anfangs hatte ich noch die Zimmerdecke abgesucht. War da etwas? Versteckte sich etwas im Abfluss? Auch die Weberknechte hatte ich vor die Tür gesetzt. Irgendwann war die Seife aufgebraucht und die Weberknechte kehrten zurück.

Der Pool

Ich stand am Rand des Pooles und zählte die Sekunden. Dein Körper verbog und verbeulte sich. Als ein Junge ins Wasser sprang, wurde es stärker. Wer warst du da unten? Jetzt waren es schon Minuten und du bewegtest dich nicht. Als wäre es dein Element. Schon immer. Ich glaubte zu erkennen, dass du zu mir hinaufschautest. Die ganze Zeit. Ich deutete auf die Stoppuhr. Es wurde Abend, die Rufe verhallten. Auch als das Licht ausgeschaltet wurde, blieb ich stehen. Niemand hatte nach uns gefragt. Die Wasseroberfläche hatte sich beruhigt und nur das fahle Licht der Straße leuchtete herein. Plötzlich stießt du dich vom Boden ab. Luftblasen vernebelten dein Gesicht. Gleich würdest du die Oberfläche durchstoßen. Kraftvoll. Kraftvoller, als ich dich in Erinnerung hatte. Würde ich dich erkennen?

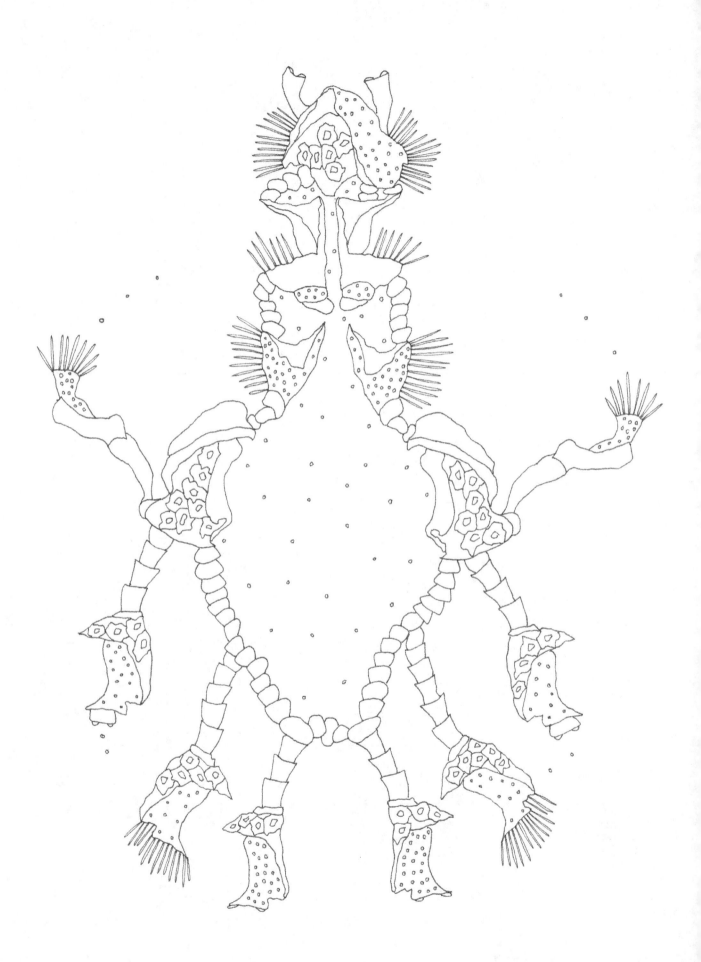

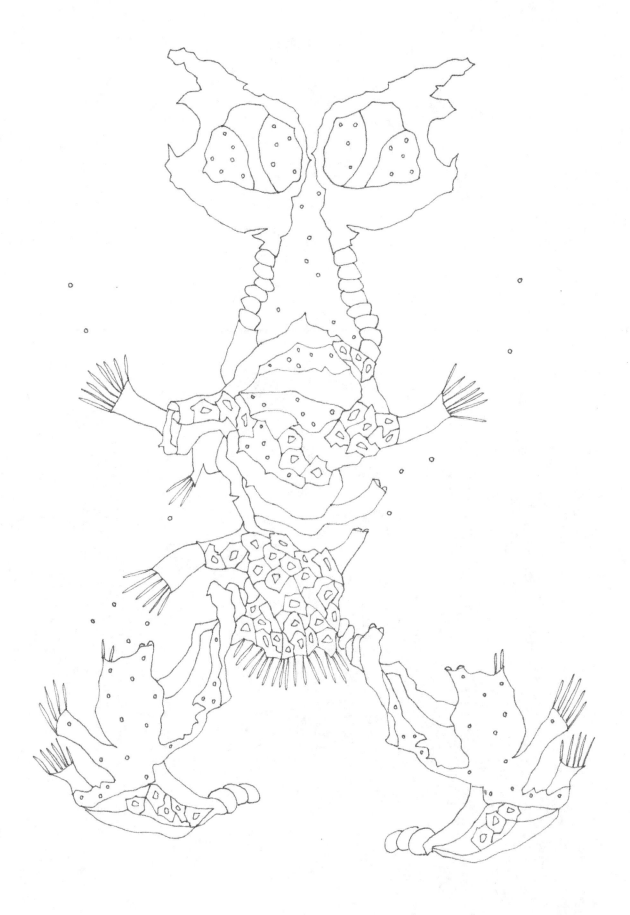

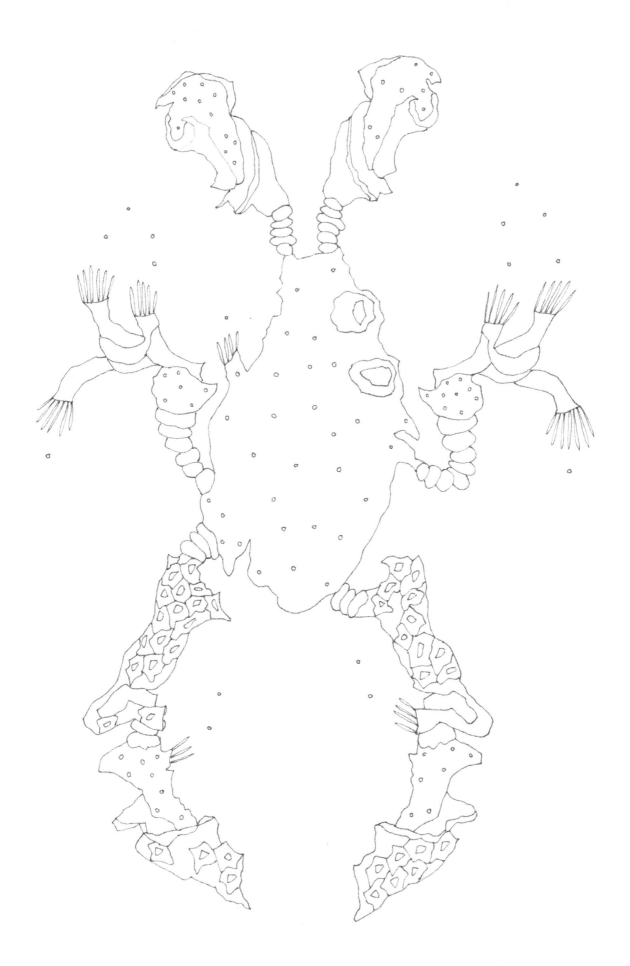

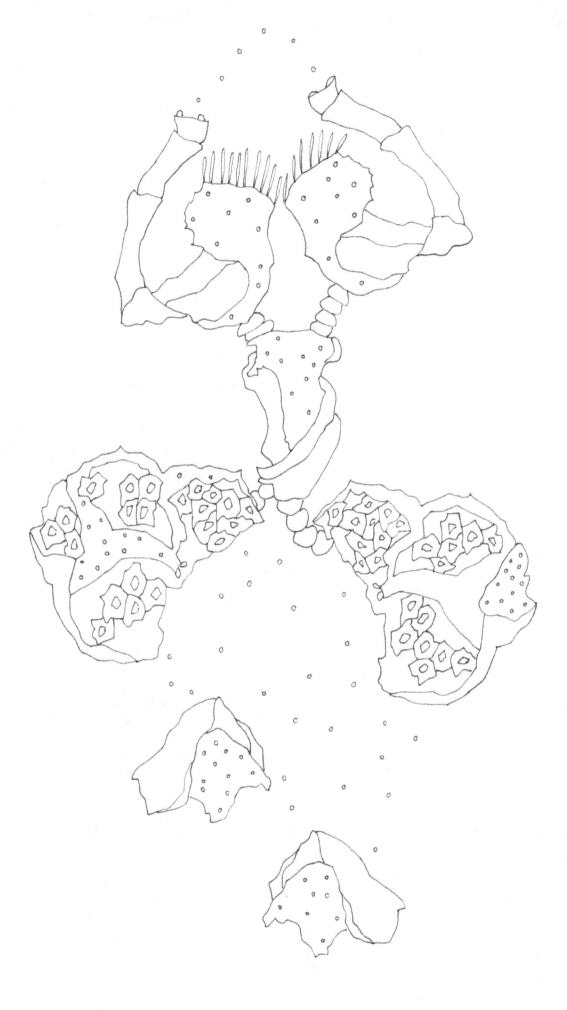

Schnee

Draußen fiel Schnee und mein Blick ruhte auf zwei Fenstern. Der Innenhof war die Kulisse für das Tanzen der Flocken. Im linken Fenster fielen die Flocken schräg, als hätten sie einen eigenen Willen, als würden sie den Boden noch nicht erreichen wollen. Im rechten Fenster wirkten die Flocken willenlos, der Schwerkraft ergeben. Ich verglich immer wieder die beiden Fenster. Vom kahlen Gestrüpp im linken Fenster war im rechten kaum etwas zu sehen, stattdessen dominierte eine helle Wandfassade. Die Fenster waren gar nicht weit voneinander entfernt, aber ich hatte das Gefühl, in zwei unterschiedliche Welten zu schauen. Die rechte ließ mich ruhig werden, die linke wühlte mich auf. Lag es am Wind? Fiel er vielleicht von oben in den Innenhof ein und verebbte Richtung Hauswand, wurde leise und leiser? Bei längerem Schauen überkam mich das Gefühl, dass die Tage unterschiedlich alterten. Hier dämmerte es schon, dort dehnte sich der Tag. Das Licht war fad in diesem Januar, die Sonne schon fast vergessen. Irgendwann schienen mir die Fenster Türen zu sein. Jede führte in eine andere Zeit. Ich spürte ein Kribbeln in meinen Zehen. „Der Nächste bitte!" Ich stand auf und trat in die Tür.

Perlen

Zuerst wollte ich es nicht glauben. Aber die Hinweise häufen sich. Die Perlen sollen zu Kreaturen gehören, die weit draußen im Meer leben. Klumpenartige Wesen, die sich scheinbar willenlos treiben lassen. Mir kommen diese Beschreibungen genauso wahr vor, wie die Erläuterungen zu Strandfunden von Einhornhörnern, als niemand die Narwale kannte. Die Wesen, von denen ich hier berichte, sollen bei Vollmond farbig pulsieren. In den folgenden Tagen häufen sich die Strandfunde ovaler Perlen. Wer diese Perlen findet, gibt sie nicht wieder her. Ketten oder Armbänder entstehen aus ihnen. Aber die Träger verändern sich. Sie stellen ihre Spaziergänge ein. Oft stehen sie stundenlang regungslos da und starren in die Weite. Immer wieder beobachte ich, wie sie Teile ihres Mobiliars an den Strand stellen. Betten, Stühle, Stehlampen. Tag für Tag rücken sie die Gegenstände näher ans Wasser heran. Sie sprechen nicht mehr. Einmal dachte ich, ich träume. Eine junge Frau schob im Abendrot all ihre Möbel ins Wasser. Immer tiefer hinein. Sie hörte nicht auf meine Rufe. Ihre Bewegungen waren langsam und bestimmt. Als auch ihr Kopf in den Wellen verschwunden war, hoffte ich zu erwachen. Und das hoffe ich immer noch.

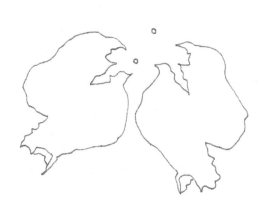

Impressum

© 2019 Vera Kattler & Danilo Pockrandt
Band 1 der edition unbewohnt

Herstellung und Verlag:
BoD – Books on Demand, Norderstedt

ISBN: 978-3-7347-6896-5

Bibliografische Information der Deutschen Nationalbibliothek:
Die Deutsche Nationalbibliothek verzeichnet diese Publikation in der Deutschen Nationalbibliografie; detaillierte bibliografische Daten sind im Internet über http://dnb.d-nb.de abrufbar.

Nachwort

Mit dem Band „Lebte die Seife?" legen wir den Grundstein für unsere ‚edition unbewohnt'. Im Jahr 2011 begegneten wir uns bei einem Stipendium im Schloss Wiepersdorf. Über die folgenden Jahre entspann sich ein Dialog, der, auch über Umwege, ein Sammelsurium an Ideen begünstigte. Dieses Sammelsurium wiederum entwickelten wir über drei Jahre lang – während meiner Arbeitsaufenthalte im Atelierhaus des KuBa Saarbrücken in den Jahren 2017, 2018 und 2019 – weiter. Vera Kattler fertigte im Jahr 2019 die Serie „Das schöne Gewand", der ich einen Zyklus meiner Prosaminiaturen gegenüberstellte. Ein stetiger Austausch zu unseren Arbeiten beförderte den Wunsch, beides in einem Buch zusammenzubringen. In unserem Buchprojekt verfolgen wir einen freien künstlerischen Ansatz, der grundlegend für unsere ‚edition unbewohnt' werden soll.

Danilo Pockrandt

Vera Kattler

geboren 1965 in Wadgassen/Saarland.
1999–2005 Studium der Freien Kunst an der Hochschule
der bildenden Künste Saar bei Prof. Bodo Baumgarten
und Prof. Daniel Hausig
2005 Diplom mit Auszeichnung bei Prof. Daniel Hausig
im Fachbereich Mixed Media/Malerei
Meisterschülerin von Prof. Daniel Hausig
lebt und arbeitet in Saarbrücken

Blog: www.verakattler.blogspot.com

Danilo Pockrandt

geboren 1981 in Merseburg, Sachsen–Anhalt
2001 – 2008 Studium an der Burg Giebichenstein, Hochschule für Kunst und Design, in Halle (Saale) bei Prof. Mechthild Lobisch und Prof. Sabine Golde
2008 Diplom in den Bildenden Künsten, Fachrichtung Buchkunst
arbeitet seit 2011 freiberuflich auf den Gebieten der Lyrik,
der Illustration und der Buchkunst
lebt und arbeitet in Halle (Saale)

Webseite: www.pockrandt.gallery

CPSIA information can be obtained
at www.ICGtesting.com
Printed in the USA
BVHW011353240519
549209BV00012B/23/P